L'HUMAN... PRÉHISTORIQUE

Jacques Jean-Marie de Morgan

AVERTISSEMENT

Il n'est pas un seul livre traitant de questions dans lesquelles l'observation est la base, qui puisse être considéré comme étant définitif. De tels ouvrages ne peuvent qu'exposer l'état de la science au jour de leur apparition: un mois après, l'auteur modifierait déjà certains passages de son texte, c'est ce qu'il en advient pour l'*Humanité préhistorique*. Je manquerais à mon devoir si je ne faisais pas part au lecteur des découvertes et des idées nouvelles, survenues en quelques mois, depuis que j'ai donné le «bon à tirer» de la première édition de mon livre.

Entre temps, j'ai consulté mes amis scientifiques: tous m'ont répondu qu'ils étaient satisfaits de mon exposé, mais ce n'est pas là ce que j'attendais d'eux. Un livre, embrassant en 300 pages des milliers et des milliers d'années de la lutte de l'homme pour atteindre le progrès, ne peut être exempt de lacunes.

Ces causes de corrections ne sont pas les seules: Bien des ouvrages ont, depuis 1921, été publiés en diverses langues et, parfois, après en avoir pris connaissance, j'ai été amené à modifier ma manière de voir; de plus les études très approfondies auxquelles je me suis livré pour terminer un grand ouvrage: *la Préhistoire orientale* m'ont invité à discuter de l'interprétation de certains faits, avec des spécialistes et ce pour mon plus grand bénéfice. Je tiens à faire profiter le lecteur des fruits de ces discussions.

25 janvier 1923.

DE MORGAN.

CONSIDÉRATIONS PRÉLIMINAIRES

Les études relatives à la préhistoire de l'homme, à cette phase de son évolution pour laquelle aucun document écrit ne vient guider les recherches, bien qu'elles soient nées depuis bientôt un siècle, sont encore dans l'enfance. D'une part nos investigations, bien sommaires encore, hélas! ne portent que sur un petit nombre de régions, d'autre part nous ne possédons aucun terme de comparaison permettant de mesurer, dans le temps comme dans l'espace, l'étendue de ces premiers efforts de l'humanité pour améliorer ses conditions d'existence; et l'ampleur du sujet est telle, que cette branche d'études fait appel à la plupart des connaissances scientifiques. La géologie, la zoologie, la botanique, la climatologie, l'anthropologie, l'ethnographie sont les bases de la préhistoire qui, comme toutes les sciences d'observation, côtoie cette muraille de ténèbres derrière laquelle se dissimulent à nos yeux les origines des êtres et des choses.

Quand on s'engage dans les divers chemins de la science pour remonter vers les origines, bientôt on se heurte à l'inconnu. Au fur et à mesure qu'on avance, l'obscurité s'accroît jusqu'à devenir la nuit, nuit du passé, nuit de l'avenir, où l'insuffisance de nos moyens d'investigation ne nous permet pas encore de pénétrer. C'est qu'en toutes choses nos moyens d'observation se montrent insuffisants, c'est que le temps a détruit la plupart des témoins à la portée de notre intellect et que ceux qui ont survécu aux injures des siècles échappent trop souvent, hélas! à notre perspicacité. Plus on remonte dans les âges, plus est difficile la perception des traces épargnées par le temps; et dans les contrées mêmes dont nos pieds foulent le sol, dans ces régions que nous pensons connaître le mieux, nos observations ne sont encore que bien superficielles. Durant des siècles et des siècles on a méconnu les vestiges des vieilles civilisations de la pierre; demain paraîtront peut-être des témoins plus anciens encore, les ténèbres reculeront quelque peu; mais jamais nous ne parviendrons au but, jamais nous ne dissiperons complètement les obscurités des origines.

Aujourd'hui d'ailleurs, en ce qui regarde la haute antiquité de l'homme sur la terre, nos recherches ne portent encore que sur une aire géographique bien limitée; l'Europe occidentale, le nord de l'Afrique, quelques points de l'Asie antérieure et de l'Amérique du

Nord, seulement, nous ont livré quelques-uns de leurs secrets, confidences bien incomplètes, d'étendue fort restreinte, dont il serait dangereux au plus haut point de tirer des conclusions d'ordre général. À peine sommes-nous en droit de proposer quelques hypothèses. Il ne faut pas oublier, en effet, que très certainement une multitude d'indices nous échappent encore, que les industries de la pierre sur lesquelles nous basons nos théories ne forment qu'une infime part des témoignages de la vie humaine et que les autres traces ne nous sont pas encore apparues ou sont à jamais perdues.

Fatalement l'esprit est enclin à la généralisation des phénomènes dont il constate l'existence, à négliger les inconnues sans nombre des questions dans lesquelles il pénètre par un côté; et ces tendances, très humaines d'ailleurs, ont été l'origine et la cause des théories relatives à la vie préhistorique de l'homme, théories absolues bien qu'elles fussent irrationnelles. Pouvons-nous admettre, en effet, que les pays occidentaux de l'Europe ont joué dans les débuts du progrès un rôle prépondérant par rapport au reste du monde, qu'ils ont été des foyers de développement? Certes non, car nous ignorons ce qui s'est passé dans les autres parties de l'Univers, non seulement dans les continents modernes, dans ceux qui émergent actuellement des mers, mais aussi dans ces vastes régions abîmées aujourd'hui dans la profondeur des mers, et dont nous soupçonnons seulement l'antique existence. Ce n'est pas de l'imparfaite connaissance de quelques millions de kilomètres carrés, trois tout au plus, que nous sommes en droit de déduire des lois s'appliquant au monde entier, ce n'est pas par l'étude de quelques rares squelettes et d'industries locales que nous pouvons juger de ces innombrables mouvements des peuples primitifs, classer ces vagues humaines qui, semblables à celles que les vents soulèvent sur les océans, ont couvert les continents, se sont brisées sur les montagnes, ce n'est pas d'observations géologiques localisées sur quelques points, mieux étudiés que d'autres, qu'on peut déduire la marche générale des mers de glace, qu'on peut juger des convulsions du sol de notre planète, de ces grands mouvements variables à l'infini, suivant les lieux, suivant les temps, dont l'importance a été si considérable dans les destinées de l'humanité primitive.

Aucun indice, jusqu'ici, ne nous permet de connaître les foyers originels des divers groupes humains, et bien rares sont les témoignages des migrations primitives. La nuit enveloppe encore le berceau de notre propre civilisation; comment parlerions-nous des origines de ces peuples que nous ne connaissons que par les produits de leurs grossières industries?

Il ne faut pas chercher à donner à la préhistoire une précision qu'elle ne peut pas posséder. Souvenons-nous toujours que nous nous trouvons en face de l'inconnu le plus vaste qui soit, que de nos observations locales nous ne devons tirer que des conclusions locales elles-mêmes, et que ces constatations portent seulement sur des temps où l'homme était déjà singulièrement développé.

Ce n'est pas ici la place d'entrer dans des considérations sur les origines possibles des hominiens, puisqu'il est traité spécialement de ce sujet dans l'un des volumes de cette série; mais, avant d'aborder l'exposé des industries primitives, il est important de faire observer que nous ne connaissons rien des origines humaines, et qu'il en est de même de tout ce qui concerne les débuts de l'évolution organique.

Les couches géologiques les plus anciennes, celles dans lesquelles apparaissent pour la première fois les vestiges de la vie, nous montrent une faune très développée déjà; ce n'est pas que l'existence animale et végétale eût débuté pourvue d'organismes supérieurs, c'est que les premiers efforts de la nature n'ont pas laissé de traces. Les gneiss pré-cambriens et les granits ont certainement connu les êtres organisés; mais ils ne nous en ont pas transmis les empreintes. Il en est de même en ce qui regarde les origines humaines; l'homme a peut-être vécu dans les temps tertiaires; il se peut qu'un jour on rencontre ses restes dans quelqu'un de ces ossuaires qui, comme ceux de Pikermi, de Maragha, du Dakota, etc., permettent de reconstituer les faunes disparues, dans les vases de quelque lac tel que celui de Sansan, où sont venus s'amonceler les cadavres entraînés par les fleuves; mais, jusqu'à ce jour, aucune découverte de cette nature n'est venue à l'appui des hypothèses relatives à l'homme et à ces instruments primitifs qu'on désigne sous le nom d'éolithes. Ces éolithes d'ailleurs qu'on nous donne comme façonnées par la main de l'homme ne sont pas concluantes par elles-mêmes, quant à l'antiquité de l'humanité sur la terre. Nous devons donc nous borner à prendre l'être humain lorsqu'il nous apparaît d'une manière certaine, aux temps quaternaires, de même que nous prenons le développement animal à la période cambrienne. La faune pré-silurienne est déjà très élevée dans l'ordre zoologique, et, aux temps glaciaires, l'homme possède déjà une industrie très avancée; c'est là tout ce que nous savons. Au delà, tant sur la paléontologie que sur l'anthropologie, plane le mystère.

Quelques terres privilégiées, la Chaldée, l'Élam et l'Égypte ont, plus tôt que le reste du monde, connu les bienfaits de l'écriture. Six mille ans environ se sont écoulés depuis que cette aurore, levée sur l'Orient, a répandu sa lumière sur les régions du Tigre, de l'Euphrate et du Nil; mais, pendant bien des siècles, ce foyer n'a brillé que pour lui-même, et le reste du monde est demeuré plongé dans les ténèbres: enfin, peu à peu, de proche en proche, la clarté s'est faite, de nos jours encore elle se répand, couvre de nouvelles régions; mais bien des siècles s'écouleront avant que, sur toute la terre, l'être humain soit complètement sorti de l'ignorance et de la barbarie.

En Asie même, en Égypte, avant que survînt la plus grande des inventions de l'homme, celle qui permit de fixer la pensée par l'écriture, que de siècles ont dû s'écouler pour que l'humanité sortît enfin, peu à peu, de la condition inférieure, animale, dans laquelle certainement elle a vécu aux origines, pour que l'être, naturellement doué de raison, se comprît lui-même, pour qu'il s'affranchît de quelques-uns de ses instincts, de ceux qui s'opposaient à son développement intellectuel et moral!

C'est alors que, parmi ces innombrables familles humaines, intervint un facteur puissant, celui des aptitudes. Toutes les hordes n'étaient point égales en vitalité physique et intellectuelle, soit que l'ambiance dans laquelle elles avaient vécu fût impropre à leur développement, soit que par atavisme elles fussent condamnées à l'infériorité.

Là survient le mystère de l'origine unique ou multiple de la race humaine, problème dont nous ne pouvons même pas entrevoir la solution. Les descendants d'Adam, dit la tradition, ont épousé les filles des hommes. Il existait donc des hommes, des êtres inférieurs, ces vieux souvenirs l'affirment et l'ethnographie semble devoir confirmer leurs dires.

Que penser de cette inégalité de culture chez les aborigènes du Nouveau-Monde, du grand développement de certains peuples au Mexique, au Pérou, et de l'infériorité de certains clans de l'Amérique du Nord, des tribus de l'Amazone ou des Guyanes, des Patagons, des Esquimaux, de tous ces êtres inférieurs que l'exemple même n'a pu tirer de leur vie de primitifs? Comment juger ces races noires qui, malgré la culture qu'elles reçoivent dans certains pays, ne fournissent qu'une bien faible proportion d'individus qui véritablement soient des hommes?

Cette inégalité des facultés cérébrales, qui existe encore chez les peuples les plus civilisés, parmi les individus, il la faut accepter aussi chez l'homme d'avant l'Histoire: comme de nos jours elle ne séparait pas seulement les êtres entre eux, mais s'appliquait aux familles humaines elles-mêmes. De là vint la naissance de foyers de développement multiples, d'intensité diverse, à des époques qu'on ne saurait fixer, car les causes mêmes de ce développement ne permettent de leur assigner ni un lieu ni un temps. Il n'existe pas, pour le progrès intellectuel, de phases comparables à celles des diverses évolutions de la vie animale.

Mais en dehors des aptitudes cérébrales plus ou moins grandes, chez les fractions diverses de la race humaine, il était une autre cause de supériorité de certains groupes sur les autres, cause certainement prédominante dans les sociétés primitives, l'aptitude au développement physique. Car, en ces temps, comme souvent encore de nos temps, la force brutale primait celle de l'intelligence. Tout comme de nos jours, plus même encore, le climat exerçait une influence prépondérante sur les groupes humains, parce que l'homme était plus près de la nature qu'il n'est aujourd'hui, et il existait sur le globe de grandes inégalités dans le climat et dans les facilités d'existence. Ce fut la cause de terribles luttes pour la possession du sol, de ces migrations, de ces mouvements dont nous retrouvons les vagues traces. Que de guerres alors! Que de massacres! L'esclavage était le sort du vaincu, dont la horde s'éteignait peu à peu, laissant, par ses femmes, quelque peu de sa vie dans les veines des descendants de ses vainqueurs; et pendant que se transformaient ainsi les races, le climat, le relief du sol lui-même se modifiaient continuellement, causant de nouveaux changements dans la nature ethnique des populations.

L'Histoire n'est faite que de ces luttes des hommes entre eux, que d'invasions, de conquêtes, de l'asservissement, de la disparition de peuples entiers, de la fusion des vaincus avec les vainqueurs. Que sont devenus les Phrygiens, les Cappadociens, les Hétéens, les Elamites, les Ourartiens, les Ibères, les Étrusques, et tant d'autres nations dont nous connaissons l'existence par d'irréfutables preuves, mais dont nous ne retrouvons plus que très rarement des traces ethniques fugitives? Elles se sont fondues pour devenir éléments constitutifs d'autres nations qui souvent elles-mêmes ont disparu. Quel dédale de complications ethniques dans ces quelques millénaires dont nous possédons l'Histoire, et quelle idée devons-nous nous faire des luttes qui ont ravagé la terre durant les temps préhistoriques! Ne prenons pas pour la lumière complète les renseignements que nous fournissent nos découvertes d'industries oubliées, d'arts ignorés ou de squelettes humains. Ce ne sont là que de faibles lueurs, capables seulement de jeter un jour pâle sur l'existence de nos précurseurs en ce monde.

Bien que ce ne soit pas ici la place d'étudier l'homme au point de vue de sa constitution physique, ni à celui des langues dont la connaissance est parvenue jusqu'à nous, il est utile cependant de montrer en quelques mots combien ces branches de la science sont décevantes pour celui qui songerait à s'appuyer sur elles pour la recherche de la préhistoire humaine.

Nous ne possédons aucune indication, même des plus vagues, sur la nature des idiomes qui se parlaient dans le monde, aux siècles qui, de quelques millénaires, ont précédé l'invention de l'écriture. Les plus anciennes inscriptions parvenues à notre connaissance, celles de la Chaldée, de l'Élam et de l'Égypte, nous montrent déjà des langages parfaitement organisés, possédant des grammaires savantes, littéraires même, et il en est ainsi pour les textes archaïques qu'on découvre chaque année dans les divers pays.

Le jour où nous saurons interpréter les textes hétéens, minoens, étrusques, ibères, mexicains etc., nous nous trouverons certainement en face de parlers déjà fort évolués, quel que soit le groupe auquel ils appartiennent. Est-il plus belle chose que ces études comparatives sur les langues de souche aryenne, par exemple, qui, s'appuyant sur des rameaux détachés depuis des milliers d'années du tronc, permettent de retrouver un grand nombre de racines originelles, et de pénétrer dans la pensée déjà si développée de sociétés dont nous ne pouvons pas nous permettre de mesurer l'antiquité?

Ces sortes de recherches ont permis de reconnaître l'existence de quelques groupes, de familles; cependant il est encore certains dialectes antiques et modernes qui, résistant à l'analyse, ne rentrent pas dans les grandes divisions tant au point de vue grammatical qu'à celui des racines, et semblent être les survivances de quelques-unes des langues qui se parlaient, avant la venue dans nos régions de ces hordes humaines que les linguistes désignent sous les noms de Sémites, d'Aryens et de Touraniens. Parmi ces langues, dont quelques-unes paraissent remonter à des origines très anciennes, citons le Basque, l'Ibérien, l'Etrusque, le Susien, l'Ourartien et les parlers du Caucase dits Karthwéliens (Géorgien, Mingrélien, Laze, etc.), idiomes qui ne présentent pas de relations avec les vieilles langues et qu'on ne parvint à réunir à aucun autre groupe; on ne peut pas dire cependant, avec la moindre apparence de raison, qu'ils appartiennent à des langues qui se parlaient aux temps quaternaires.

En ce qui regarde les découvertes anthropologiques, qui, en se multipliant, parviendront à jeter beaucoup de lumière sur les questions d'ethnographie antique locale, nous sommes portés à un certain scepticisme quant aux conclusions d'ordre général qu'on s'efforce d'en tirer; car si nous en jugeons par les mélanges d'éléments ethniques qui ont eu lieu dans tous les pays durant la période si courte de l'Histoire, nous sommes amenés à penser que, pendant les phases préhistoriques, les fusions entre groupes humains divers n'ont pas été moins importantes. À peine pouvons-nous présenter un classement ethnographique rationnel des races actuelles, classement pour lequel nous disposons cependant de matériaux sans nombre; que penser dès lors des conclusions résultant de l'étude de quelques rares squelettes découverts de-ci de-là, alors que nous ne savons pas si ces hommes étaient réellement les auteurs des industries au milieu desquelles on trouve leurs restes, ou s'ils ne vivaient pas là soit comme anciens habitants vaincus, soit comme esclaves importés de régions peut-être très lointaines? Ce n'est pas parce qu'on trouverait dans des couches caractérisées par des restes de la culture romaine le squelette d'un nègre du Soudan qu'on serait autorisé à conclure que Romulus et Rémus avaient la peau noire et les cheveux crépus. Les incertitudes dépendent de tant de facteurs dont nous ne soupçonnons même pas l'essence, qu'il importe de se tenir dans une extrême réserve quant à la nature des populations qui nous ont devancés sur notre sol.

Pour l'ethnologie des peuples depuis les débuts des temps historiques jusqu'a nos jours, nous ne pouvons suivre que deux guides: la linguistique et l'anthropologie; or, dans la plupart des cas, ces deux moyens d'investigation en arrivent à des conclusions absolument opposées. Quelques exemples suffiront pour le montrer.

Dans le centre de la grande chaîne caucasienne habitent les Ostèthes, peuple qui s'exprime dans un dialecte iranien très archaïque, bien que depuis des siècles et des siècles, plus de deux mille ans, il soit entouré de toutes parts de gens de parler karthwélien; mais, par suite de mélanges du sang, il a pris chez ses voisins son type physique. L'anthropologie en fait donc des Caucasiens, la linguistique les déclare Aryens-iraniens.

En Élam, dans les tribus nomades, on rencontre des individus du type susien le plus pur, tel que nous le montrent les bas-reliefs vieux de trois ou quatre mille ans; or ces gens, de culture sémitique, sont musulmans et parlent arabe. Le langage de leurs pères s'est perdu, mais leur type physique a survécu.

Nous avons vu que Cappadociens, Phrygiens, Hétéens, Étrusques, etc., ont disparu en tant que nations et ont perdu leur langage: mais, en se fondant avec d'autres peuples, ils ont certainement apporté à leurs vainqueurs certains de leurs caractères physiques; et il en est de même pour tous les peuples, dans tous les pays.

Sans nul doute il s'est opéré de tous temps une sélection dans les races humaines, les êtres inférieurs disparaissant devant des groupes plus forts, mieux doués par la nature. Cette sélection se produit encore de nos jours en Amérique, en Océanie, dans notre vieille Europe elle-même; pourquoi n'aurait-elle pas régi les destinées de l'humanité, en des temps où les instincts du plus fort n'étaient pas contenus par des conceptions philosophiques ou par des lois?

De telles considérations ne sont-elles pas de nature à rendre sceptique quant aux résultats des observations anthropologiques?

Nos seuls guides vraiment scientifiques, dans l'étude des peuples oubliés, sont donc dans les traces laissées par ces hommes eux-mêmes de leur passage sur le globe, dans ces restes de leur vie de chaque jour, accumulés dans les cavernes qu'ils habitaient, dans les ruines de leurs demeures artificielles, dans les lieux de leurs campements et, pour les périodes les plus anciennes, souvent dans les alluvions produites par des courants qui, après avoir lavé la surface de la terre, l'ont recouverte de matières qu'ils entraînaient dans leur course. Nos observations à cet égard sont forcément localisées et chaque station préhistorique doit faire l'objet d'une étude spéciale. Puis, les observations se multipliant, les mêmes phénomènes se montrant sur un grand nombre de points, on est amené à donner aux conclusions une portée plus étendue, à les appliquer à des districts entiers, et l'étude stratigraphique des couches, dans lesquelles on rencontre les restes des industries humaines est, pour nous, le seul moyen d'établir une chronologie relative des faits qui ont pris place dans une même région.

Mais la stratigraphie, dont les données sont souvent discutables, en ce qui concerne les assises géologiques marines, alors que la succession présente des lacunes, devient plus incertaine encore dans le cas des alluvions pleistocènes et récentes, de telle sorte que, suivant les contrées sur lesquelles ils ont porté leurs observations, les géologues ne sont pas toujours d'accord, tant s'en faut. C'est ainsi qu'ils diffèrent d'opinion sur le nombre des oscillations glaciaires, aussi bien que sur leur importance. Certains en admettent trois et d'autres jusqu'à six. On ne s'entend même pas au sujet de la période glaciaire dans laquelle apparaissent pour la première fois les produits de l'industrie humaine, le type Chelléen, M. Obermaier, par exemple, après une étude approfondie de la région pyrénéenne, est amené à rajeunir considérablement cette époque et, par suite, l'antiquité de l'homme sur la terre.

Ces divergences dans les opinions sont dues à l'extrême complexité des bases sur lesquelles s'appuient les déductions: ici ce sont des alluvions caillouteuses, là des moraines avec leurs variétés latérales et frontales, plus loin des tourbières, et les divers témoins de l'action glaciaire sont, le plus souvent, indépendants et fort éloignés les uns des autres.

D'ailleurs, il est à penser que, sur toute la surface du globe, les mêmes phénomènes n'ont pas pris place en même temps. Les oscillations glaciaires correspondent, sans nul doute, à des mouvements de l'écorce terrestre; toutefois, beaucoup d'entre eux n'ont pas affecté la totalité des massifs où se déposaient les neiges. L'affaissement général de *l'inlandsis* Scandinave, il est vrai, a marqué la fin de la période glaciaire et le commencement des temps modernes; mais cet effondrement des continents septentrionaux n'a certainement pas affecté les massifs du Nord tout entiers.

Cependant les incertitudes qui planent sur les temps glaciaires n'ont pas rebuté les partisans de la très haute antiquité de l'homme sur la terre; et des esprits très pondérés, des hommes fort instruits des choses de la géologie, se sont laissé entraîner à chercher une évaluation en millénaires d'années des périodes de l'enfance humaine. Tout d'abord ils commettaient la grande faute d'accepter le synchronisme des diverses phases des industries, en prenant pour base les découvertes faites dans l'occident de l'Europe: ensuite leurs évaluations, ne reposant sur aucun fondement scientifique, ont inévitablement donné libre cours à la fantaisie.

Goldschmidt, d'après Haeckel, ne compte pas moins de un milliard quatre cent millions d'années depuis l'apparition sur la terre des êtres organisés jusqu'à nos jours; alors que nous savons que la faune cambrienne, la plus ancienne connue, a été précédée par d'autres dont il est impossible de mesurer l'importance et par suite la durée. Credner estime les temps géologiques à cent millions d'années, dont trois millions pour le tertiaire et cinq cent mille pour l'anthropozoïque ou quaternaire.

Gabriel de Mortillet accorde deux cent trente à deux cent quarante mille ans à la durée des temps quaternaires depuis l'apparition de l'homme (Chelléen), dont deux cent mille sont consacrés à l'époque glaciaire et à ses oscillations, trente ou quarante mille ans au post-glaciaire.

Pour Lyell, Croll et J. Lubbock, l'homme chelléen serait vieux de trois cent mille ans. Lyell admet que la formation des tourbières danoises a exigé seize mille ans, alors que Stennstrup réduit ce nombre à quatre mille.

Tous les moyens d'estimation ont été mis en œuvre pour arriver à l'évaluation des temps, observations astronomiques, étude des glaciers, des tourbières, de la formation de la terre de bruyère, des alluvions des fleuves, du creusement des vallées, transformation de l'uranium en hélium, etc., etc., mais, dans toutes les données du problème, il est beaucoup d'éléments qui font défaut et la meilleure preuve en est que les nombres proposés ne concordent pas entre eux. L'une des plus curieuses méprises est celle de Broca. Après avoir constaté qu'entre la grotte de Moustier et celle de la Madelaine, dans la vallée de la Vézère, il y a une différence de 27 mètres, Broca écrivait: «Ce creusement de 27 mètres, dû à l'action des eaux, s'est effectué sous les yeux de nos troglodytes et, depuis lors, pendant toute la durée de l'époque moderne, c'est-à-dire pendant des centaines de siècles, il n'a fait que très peu de progrès. Jugez, d'après cela, combien de générations humaines ont dû s'écouler entre l'époque de Moustier et celle de la Madelaine!» Or, d'une part, il y a seulement eu, depuis l'époque des plus hautes cavernes, déblaiement d'une vallée occupée par des dépôts meubles, et, d'autre part, s'il ne s'est rien fait depuis ce déblaiement achevé, c'est que la rivière avait conquis sa pente d'équilibre.

Est-il besoin de s'étendre plus longuement sur un pareil sujet? nous ne le pensons pas. La diversité des appréciations suffit à prouver qu'il ne faut pas se lancer dans des spéculations de cet ordre. D'ailleurs, même dans les cas où nous connaissons la valeur chronologique des diverses couches, dans les Tells de la Chaldée et de l'Égypte, les évaluations ne peuvent être que spéciales à chacun des dépôts envisagés, car la formation de ces dépôts, sur des points différents, est essentiellement variable. La ville de Suse dont la durée a été, pensons-nous, de six mille à six mille cinq cents ans, depuis l'époque de sa fondation jusqu'à l'abandon de son site par les Arabes, vers le XVe siècle de notre ère, a laissé un monticule de 30 mètres de hauteur dans ses parties les plus hautes, alors qu'à Memphis le sol de l'ancien empire égyptien, vieux d'environ cinq mille ans, est à 9 mètres de profondeur au-dessous du sommet des buttes, et que, près du vieux Caire, on voit des monticules, entièrement créés par les Arabes du moyen âge, atteindre 12 à 15 mètres de hauteur. En toutes circonstances, les données fournies par la superposition des détritus résultant de l'habitation doivent être envisagées avec une prudence extrême.

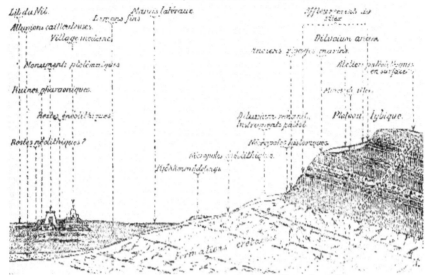

Fig. 1.—Coupe théorique de la vallée du Nil.

La coupe théorique de la vallée du Nil que nous donnons ci-contre (*fig. 1*) montre quelle est la répartition générale des témoins préhistoriques et historiques dans l'un des pays les plus vieux du monde; elle permet, mieux que toute explication, de comprendre qu'il n'est pas possible de baser une évaluation chronologique sérieuse sur l'épaisseur des alluvions ou des dépôts, de même que sur la position des sites, qui varie à l'infini. Il n'est pas jusqu'à l'épaisseur des apports annuels nilotiques qui ne change avec chacune des crues. Les inscriptions accompagnant, au temple de Karnak, les traits marqués par les prêtres, lors des inondations, ne laissent aucun doute à cet égard.

Parmi les phénomènes qui ont eu le plus d'influence sur les destinées de la race humaine, il faut citer en première ligne les modifications naturelles de la surface du globe, oscillations de la croûte terrestre qui non seulement ont été la grande cause des cataclysmes glaciaires, et ont modifié le climat des diverses régions habitées, mais aussi ont fait disparaître sous les eaux des continents entiers, rompu les voies de communication entre des terres qui, de nos jours, sont séparées entre elles par les mers.

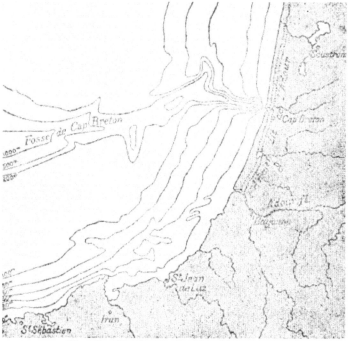

Fig. 2. — La fosse de Cap Breton.

Les preuves de ces oscillations du sol sont indiscutables. Les vallées sous-marines, jadis creusées à l'air libre, et que nous rencontrons aujourd'hui sur toutes les côtes de l'Europe septentrionale, sont témoins d'un affaissement considérable de notre sol. La fosse dite du cap Breton prouve un abaissement du littoral gascon d'un millier de mètres environ (*fig. 2*). Il en est de même pour le plateau de la mer du Nord (*fig. 3*) et pour l'Islande (*fig. 4*). Sur les côtes de la Norvège, on a reconnu l'existence d'une plate-forme, aujourd'hui située vers menille mètres de profondeur, qui jadis était au littoral de la péninsule. Cette surélévation du massif scandinave, qui s'est produite à la fin de la période tertiaire, portait à 4000 mètres, pour le moins, sa hauteur maxima. Or la Scandinavie se trouve à la même latitude que le Groenland et, certainement, n'était pas, à l'époque quaternaire, réchauffée par des courants marins tels que le Gulf-Stream; elle se trouvait donc, au point de vue de la condensation de l'humidité atmosphérique, dans des conditions analogues à celles du Groenland dont l'un des pics les plus élevés, le mont Petermann, atteint une hauteur de 3 480 mètres. Mais alors

15/273

que le Groenland est entouré par des mers qui absorbent ses glaces sous forme d'icebergs, le massif Scandinave, bordé au sud par les plaines de l'Europe occidentale et centrale, à l'est par celles de la Russie, trouvait le champ libre pour développer ses mers de glace, et les étendait au loin jusque dans les régions tempérées, sans rencontrer de barrière (*fig.* 5). C'est ainsi qu'en Nouvelle-Zélande des montagnes de 3000 mètres de hauteur envoient leurs glaciers jusqu'au milieu des forêts de fougères arborescentes.

Fig. 3. — Le plateau sous-marin de la mer du Nord.

Fig. 4. — Les vallées sous-marines de l'Islande.

Nous ne pouvons donc mieux faire, afin d'avoir un aperçu réel de ce qu'était l'inlandsis scandinave aux temps quaternaires, que de jeter les yeux sur les phénomènes glaciaires actuels du Groenland.

Le plateau de cette péninsule, haut de 1 000 à 1 500 mètres en moyenne (c'était l'altitude des plaines Scandinaves aux temps glaciaires), renfermant des pics élevés, est un immense réservoir où se précipitent constamment les névés, même au cours de l'été. Ces neiges se transforment en glace par la pression causée par leur propre accumulation, et ces glaces descendent sur les flancs du plateau jusqu'à la mer; là elles se brisent en icebergs qui s'en vont à la dérive dans la direction de Terre-Neuve.

Bien que la pente d'écoulement de ces mers de glace ne soit que de 0°, 30' environ, la pression centrale est telle que la vitesse de ces glaciers atteint des proportions hors de pair avec celles que nous connaissons sous nos latitudes. Le glacier de Iakobhavn s'avance, en juillet, avec une vitesse de 19 mètres en vingt-quatre heures, celui du nord d'Upernivick parcourt 31 mètres par jour, celui de Torsukatak 10 mètres seulement.

Nous sommes donc autorisés, par ces constatations irréfutables, à penser que les glaciers scandinaves ont parfois, à la suite de périodes humides, et par conséquent de grandes productions de neige, lancé leurs glaciers vers l'Europe centrale avec une vitesse de six à huit mille mètres par an; moins de deux siècles étaient dès lors plus que suffisants pour que des glaces parties des sommets les plus élevés de la chaîne Scandinave pussentarriver sur les lieux où s'élève aujourd'hui la ville de Bruxelles, et ces glaciers, qui avançaient ou reculaient suivant que les conditions climatériques avaient été plus ou moins favorables à la condensation de l'humidité atmosphérique quelques années auparavant, suivant qu'il se produisait dans l'écorce terrestre des oscillations plus ou moins importantes, pénétraient jusque dans les régions les plus fertiles de nos pays.

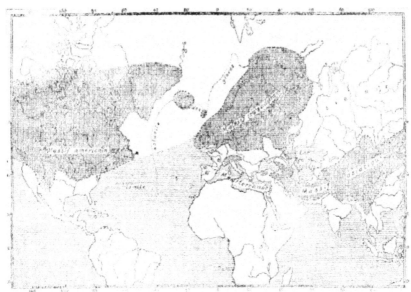

Fig. 5. — Extension maxima des glaciers pléistocènes.

Fig. 6. — L'îlot d'Erlanic (Morbihan).

Mais le mouvement d'affaissement du sol, qui fut cause de la fin des phénomènes glaciaires intenses, ne s'est pas encore arrêté de nos jours. Peut-être est-il plus lent qu'autrefois, cependant il s'est fait encore sentir en bien des occasions que la préhistoire et l'histoire même enregistrent. Dans la baie du Morbihan, à l'îlot d'Erlanic, voisin de Gavrinis, des dolmens et leurs cercles de pierres sont aujourd'hui sous les eaux et ne se montrent qu'à la marée basse (*fig. 6*). La formation du Zuider-Zée, celle du lac de Grandlieu, la disparition de la ville d'Ys sont des témoignages de l'affaissement graduel de nos côtes, de même que la séparation de la terre ferme des Îles Normandes, et combien d'exemples encore en pourrait-on citer.

À ces modifications du relief du sol sont venues se joindre les transformations climatériques qui, forcément, devaient en être la conséquence. Les vents et les courants maritimes ont eux-mêmes changé, et, là où s'étendait la glace, il se produisait, lors de sa fusion, un abaissement considérable dans la température. Ces modifications ne sont certainement pas survenues subitement; elles ont été graduelles, entrecoupées de périodes de stagnation, et, durant ces siècles, l'homme et les animaux ont fui devant les glaces ou se sont adaptés insensiblement aux nouvelles conditions de leur vie. C'est ainsi que les grands pachydermes dont on retrouve les corps dans les glaces de la Sibérie, et que ceux mêmes de nos pays, si nous en jugeons par leurs représentations contemporaines, s'étaient peu à peu revêtus d'épaisses toisons. La flore avait changé et le mammouth se nourrissait de bourgeons de mélèze. L'homme se protégea peut-être, lui aussi, contre les rigueurs du climat: car on voit, sur les gravures magdaléniennes le représentant, des hachures qui semblent figurer de longs poils. Chassé des pays envahis par les mers de glace, il se retira vers le sud, à la recherche d'un climat plus doux et de conditions d'existence plus favorables; puis il colonisa de nouveau ses anciens domaines, quand ils furent abandonnés par les glaciers, se retira encore, obéissant toujours aux glaces; enfin, lors du grand dégel, occupa l'aire que nous habitons aujourd'hui, et d'autres terres, dont assurément nous ne soupçonnons pas même l'antique existence.

Des seuils existaient bien certainement alors dans la mer Méditerranée, et peut-être que, par l'Atlantide, ou quelque autre terre disparue, le Nouveau Monde correspondait avec notre Europe. Il ne manque pas, sur notre globe, de régions que des affinités zoologiques avec d'autres terres nous invitent à rejoindre par la pensée entre elles ou à des continents engloutis en des temps peu éloignés. Bien que le voile de l'ignorance nous cache encore la plupart des transformations de la surface terrestre contemporaines de l'existence de l'homme, nous n'en percevons pas moins l'énorme influence qu'ont eu ces grands phénomènes naturels sur les destinées de l'humanité.

Les causes des migrations humaines sont multiples, complexes, plus nombreuses encore dans les temps modernes qu'à ces époques où l'être ne cherchait que des ressources pour satisfaire à ses besoins matériels. À ce mobile aujourd'hui se joint la soif de la richesse. C'est à l'attraction qu'exerce l'or sur les esprits qu'est due l'expansion de la race européenne sur toute la surface du globe, ainsi que la disparition de familles humaines de culture inférieure: mais alors que le précieux métal n'était qu'une pierre sans valeur, ce sont les climats doux, les sols fertiles, les terrains de chasse et de pêche qui guidaient les pas des envahisseurs, et les hommes du Nord, accoutumés aux luttes contre les éléments, avaient vite raison de populations rendues nonchalantes par la vie facile. Puis, peu à peu, les vainqueurs perdaient eux-mêmes leur virilité et n'étaient plus aptes à défendre leur sol contre de nouveaux envahisseurs, venant de régions moins favorisées par la nature et, par conséquent, supérieurs comme forces physiques.

Il est un fait constant, démontré par l'histoire et par la répartition des diverses familles humaines qui peuplent notre globe, fait très rationnel d'ailleurs: c'est que tout peuple vaincu se réfugie dans les lieux où il espère pouvoir conserver son indépendance, chaînes de montagnes, îles ou presqu'îles, contrées désertiques. Les Celtes se sont retirés dans la presqu'île bretonne et dans celles des Cornouailles et du pays de Galles, les Basques habitent les Pyrénées; les Kurdes, jadis maîtres de tout le nord du plateau iranien, sont aujourd'hui cantonnés dans les grandes chaînes bordières de la Perse, et chaque vallée du Caucase est occupée par des tribus de langage différent, etc. De tout temps il en a été de même. Aussi ne doit-on pas déduire de découvertes faites en des pays d'un accès difficile, ce qu'était la culture des populations des régions voisines plus ouvertes.

Innombrables sont les invasions dans les temps historiques, et elles se continuent jusqu'à nos jours, comme les destructions de peuples sans défense, depuis les temps où les Sémites, absorbant les anciens éléments de la population chaldéenne, ont marché vers le Nord, fondé El Assar et Ninive, repaires d'où chaque année ils partaient pour écraser des peuples moins habiles qu'eux dans le maniement des armes. Six mille ans d'histoire sont là pour nous édifier quant à cet instinct des hommes de se détruire entre eux. Que dire de ces flots successifs qui, du fond de l'Asie, sont venus battre les murailles du monde romain, de ces conquêtes coloniales de l'Espagne, de l'Angleterre, de la France, de cet envahissement, au nom de la civilisation, de pays qu'habitaient jadis des hommes vivant heureux de leurs libertés, des indigènes que nous dépossédons chaque jour, parce qu'ils sont les plus faibles, parce que les richesses naturelles de leur sol nous attirent!

C'est du nord et du centre de l'Asie que semblent être parties toutes les invasions des régions occidentales, durant la période historique, alors que le monde présentait à peu de choses près le relief qu'il offre encore de nos jours; mais nous ne pouvons pas savoir ce qu'il en a été au cours de la préhistoire. Bien des auteurs se sont lancés dans des hypothèses relativement au berceau des divers groupes humains. On a donné aux gens de langue aryenne l'Altaï comme lieu de naissance, puis la Transcaucasie, puis les plaines de la Russie et de la Sibérie; on a fait venir d'Arabie les hommes au parler sémitique; bref toutes les suppositions ont été émises, mais beaucoup d'entre elles sont absolument gratuites, parce que l'histoire de la répartition des hommes sur le globe est en dépendance d'une foule d'éléments mal connus. La préhistoire est encore entourée de trop de mystères pour que nous soyons en droit d'aborder scientifiquement les grands problèmes concernant les foyers originels de notre espèces. D'ailleurs les expressions d'usage pour désigner cette partie de l'histoire humaine, pour laquelle les documents écrits font défaut sont, elles-mêmes, bien vagues et bien imprécises.

«L'Archéologie préhistorique, dit-on, est la science des antiquités antérieures aux documents historiques les plus anciens.» Cette définition, généralement adoptée, n'est cependant pas complète, car elle ne s'applique qu'aux pays qui, depuis des siècles, possèdent la documentation écrite et ne vise aucunement les peuplades barbares qui, jusqu'à nos jours, ont vécu en dehors de l'Histoire. Elle semble ne comprendre que la très haute antiquité.

On doit entendre le mot *préhistorique* en lui accordant toute sa valeur dans le temps comme dans l'espace, l'étendre à tous les peuples, à toutes les questions relatives à l'existence de l'homme pour lesquelles des documents écrits émanant des peuples eux-mêmes ne nous renseignent pas, aussi bien pour les époques les plus anciennes que pour celles qui sont presque nos contemporaines; car il est impossible de séparer l'ethnographie, c'est-à-dire l'étude des peuplades modernes, de celle des peuples dont nous parlent les auteurs de l'antiquité, et de l'étude des hommes que nous ne connaissons que par l'examen des vestiges qu'ils ont laissés et dont le nom même s'est perdu. Il serait plus juste de dire que l'archéologie préhistorique est l'étude de tous les peuples qui ne nous ont pas eux-mêmes légué leurs annales. Les Germains que décrit Tacite, les Gaulois dont parle César, les Huns sur lesquels Ammien Marcellin nous fournit tant de détails, les Silures et autres insulaires dont Hérodien nous entretient, les Kamtchadales de Pallas, les Tahitiens de Cook et de Bougainville, sont des peuples préhistoriques, quoique appartenant à des temps dans lesquels d'autres nations écrivaient déjà leur histoire. On peut dire que l'ethnographie se confond avec l'archéologie préhistorique, car elle débute au cours de l'histoire elle-même: il n'est pas, en effet, de pages des annales assyriennes, égyptiennes, grecques ou romaines qui ne parlent de peuplades barbares, et les traditions légendaires par lesquelles débute l'histoire positive de tous les peuples, appartiennent à la phase préhistorique de l'évolution humaine. C'est de l'ensemble des documents archéologiques et ethnographiques anciens et modernes que nous tirons aujourd'hui nos connaissances sur les premiers habitants de notre globe.

L'archéologie préhistorique est restée cantonnée dans l'ethnographie jusqu'au jour où, la géologie aidant, on s'aperçut que les traces laissées par l'homme dans les alluvions et dans les cavernes, dans le sol, un peu partout, apportaient à l'étude des origines des matériaux de grande importance; dès lors les études ethnographiques s'étendirent à ces vestiges, en prenant un autre nom, plutôt nuisible qu'utile d'ailleurs, car il a la prétention de fixer les esprits, alors qu'il n'apporte que des confusions, qu'on s'est encore empressé d'accroître en forgeant le mot de *proto-histoire*. Ainsi l'usage a consacré les termes de *préhistoire*, *proto-histoire* et *ethnographie* pour indiquer les divers chapitres d'un ensemble d'études demeuré lui-même sans nom; et malgré ces complications, la terminologie n'est pas encore complète.

La branche préhistorique des études ethnographiques est une science essentiellement française; c'est à notre pays que revient l'honneur des premières découvertes et de leur interprétation. Dès les premières années du XVIIIe siècle, on avait reconnu et signalé la juxtaposition des vestiges industriels et des restes d'animaux fossiles dans les remplissages des cavernes. Toutefois la plupart des savants, à l'exemple de Cuvier, expliquaient ces associations par l'hypothèse d'un remaniement moderne des couches ossifères; c'était prendre l'exception pour la règle générale. Cependant les faits se multipliaient, grâce aux recherches de Boué, Tournal, Christol, Joly, Schmerling et autres.

En 1828, ce sont les découvertes de Tournal et de Christol dans le Languedoc, en 1833-34 celles de Schmerling à Liège, en 1837 celles d'Édouard Lartet et celles de Marcel de Serres en 1838, qui viennent affirmer l'existence dans nos pays de l'homme quaternaire. Le monde savant se montrait encore incrédule quand, quelques années plus tard, vers 1850, Boucher de Perthes démontra péremptoirement que, dans les alluvions des environs d'Abbeville, on rencontrait simultanément des ossements de grands mammifères éteints, mammouths, hippopotames, rhinocéros, etc., et les indiscutables produits de l'industrie humaine. Boucher de Perthes rencontra tout d'abord une très vive opposition de la part des savants aussi bien en France qu'à l'étranger; mais il défendit son opinion avec une inlassable énergie, accumula les preuves à l'appui de ses affirmations et, peu à peu, convertit les géologues et zoologistes les plus éminents de l'époque, tant français qu'anglais: Falconer, sir Joseph Prestwich, sir John Evans, Lyell, Quatrefages, Albert Gaudry, Rigollot, etc., devinrent les plus ardents défenseurs des théories nouvelles. Quand Boucher de Perthes mourut en 1868, il avait eu la satisfaction de voir son nom immortalisé par l'une des plus grandes découvertes archéologiques des temps modernes.

Dès lors, les recherches furent poussées avec une extrême ardeur par une foule d'archéologues, en France comme à l'étranger. Édouard Lartet continua ses fouilles si fructueuses dans les grottes de là vallée de la Vézère, et l'Anglais Christy se joignit à lui. En Belgique, dès 1864, E. Dupont explorait les cavernes des environs de Dinant.

Édouard Lartet fut le premier à jeter les bases d'une classification des assises quaternaires en France. Le musée de Saint-Germain fut alors créé par Napoléon III, et son conservateur adjoint, Gabriel de Mortillet, devint, par ses remarquables travaux, le maître incontesté de l'archéologie préhistorique pendant un demi-siècle. Puis ce furent en France Ed. Piette, L. Capitan, M. Boule, l'abbé Breuil, d'Ault du Mesnil, le marquis de Vibraye, Adrien de Mortillet et une innombrable pléiade d'archéologues qui, chaque jour, apportèrent de nouvelles contributions à l'étude de l'homme préhistorique.

En Danemark, Christian Thomsen avait, dès 1836, classé dans les galeries du musée de Copenhague les séries mésolithiques et néolithiques de ce pays, classification à laquelle Worsae donnait quelques années après une méthode scientifique. Rapidement l'archéologie préhistorique gagna toute l'Europe, la Russie et l'Atlantique.

En Égypte, longtemps avant mes propres découvertes, les égyptologues les plus éminents niaient l'existence d'un âge de la pierre dans la vallée du Nil, et cette opinion était si solidement ancrée dans les esprits que Maspéro classait les vases peints (énéolithiques) au moyen Empire et que Flinders Petrie expliquait par l'intervention d'une *new race* dans la vallée du Nil, aux temps historiques, la présence de silex taillés qu'il rencontrait dans ses fouilles. En cette même année 1896 je publiais mon premier volume sur les origines de l'Égypte, réduisant à néant ces théories et immédiatement j'ai été suivi par Flinders Petrie lui-même. L'année suivante, poursuivant mes recherches, je découvrais à Négadah même, la sépulture énéolithique du premier roi de la première dynastie, Mènes.

En Élam, dès 1891, j'avais reconnu l'existence du néolithique (ou énéolithique) et constaté que le plateau iranien, couvert de neige durant la période glaciaire, n'avait été habité que fort tard.

En Syrie, le R. P. Zumhofen et quelques autres archéologues ont, avec grand succès, exploré les cavernes; aux Indes, l'*Archeological Survey* a signalé l'existence de l'industrie paléolithique; dans le nord de l'Afrique, les études à cet égard ont également été très concluantes.

Bref, en un demi-siècle tout au plus, cette science, née en France, a fait le tour du monde, et s'est répandue sur tous les continents.

Dans les parties du monde autre que l'Europe, en Amérique, en Océanie, en Afrique centrale et méridionale, la préhistoire se confond avec l'ethnographie; car, pour la plupart, les peuples de ces régions en étaient encore à la culture primitive, quand les navigateurs européens se sont présentés. Chez beaucoup d'entre eux l'industrie de la pierre polie était florissante et chez d'autres celle de la pierre éclatée. La persistance de l'usage de la pierre, l'ignorance de l'écriture chez un grand nombre de peuplades, font que la préhistoire s'étend jusqu'à nos jours. On ne pourrait donc assigner de dates pour les diverses industries qu'en les envisageant au point de vue local; car il ne peut exister aucun lien chronologique entre les événements qui ont pris place dans nos pays, et ceux dont l'Australie, par exemple, a été témoin. Les diverses industries, extrêmement variées, comme on le verra par la suite, possèdent donc chacune leur époque et leur aire géographique.

Mais l'étude des peuples primitifs, vivant encore de nos jours, et, par conséquent, appartenant à la préhistoire moderne, est extrêmement utile quant à la compréhension des mœurs des antiques habitants de nos pays; les mêmes causes produisant les mêmes effets, et ces causes étant simples, nécessitées par les besoins de la vie matérielle, on peut, sans crainte d'erreur, expliquer les usages anciens par ceux encore en vigueur, alors que tous deux ont fait naître des industries analogues.

Quand, au XVIIIe siècle, Pallas visita tous les peuples qui vivaient alors dans les domaines des Tsars, il rencontra, vers l'extrême pointe de la Sibérie orientale, la peuplade des Wogoules qui habitait dans les cavernes et vivait uniquement de la chasse et de la pêche, ne se livrant à aucun genre de culture. En cas de disette, ces gens concassaient les os et, par la cuisson, en tiraient une sorte de bouillon.

Il vit aussi des Tchouktches, qui habitaient sous le cercle polaire, dans cette presqu'île située entre l'océan Glacial de Sibérie et la mer de Behring. Ces gens vivaient, comme d'ailleurs tous les Kamtchadales, dans des tanières souterraines et les antres des rochers, dont ils fermaient l'ouverture en tendant des peaux de renne devant l'entrée. Ils ne possédaient alors aucun instrument métallique; leurs couteaux étaient faits de pierres tranchantes, leurs poinçons d'os effilés, leur vaisselle de bois ou de cuir; comme armes ils avaient l'arc, la flèche, la pique et la fronde; piques et flèches étaient armées d'os pointus.

Les femmes tannaient les peaux des animaux tués à la chasse, les raclaient pour en ôter le poil, après quoi elles les frottaient de graisse et de frai de poisson, puis les foulaient à tour de bras. Elles se servaient pour coudre des nerfs des quadrupèdes, d'os pointus et d'aiguilles faites d'arêtes de poissons.

Non loin des Tchouktches et des autres nations kamtchadales vivaient, dans de petites îles, des populations plus sauvages encore, que Pallas désigne sous le nom d'insulaires orientaux. Ces hommes se nourrissaient de gibier à la façon de ceux du continent et leurs femmes tannaient de même les peaux et préparaient les fourrures. Ils ne possédaient aucun animal domestique, pas même le chien. Armés de lances, d'arcs, dont les flèches étaient garnies d'os pointus, ils passaient leur vie à la chasse, sans autre préoccupation que celle de leur nourriture.

Les habitations de ces gens étaient des tanières souterraines longues parfois de cent mètres et larges de six à dix, divisées en compartiments. Là s'entassaient jusqu'à trois cents personnes dans la plus abjecte malpropreté; d'autres habitaient des cavernes, des abris, qu'ils s'efforçaient de clore au moyen des troncs d'arbres que la mer venait jeter sur les plages.

On croirait, en lisant cette description, entendre parler de nos hommes quaternaires des cavernes du Périgord, avec cette différence que nos magdaléniens étaient des artistes, qu'ils ornaient de dessins les parois de leurs habitations et que bien certainement leurs goûts affinés se manifestaient dans la parure, peut-être même dans le costume; mais tout ce qui, dans leur mobilier, n'était ni os ni pierre, n'a pas survécu aux injures du temps, et nous ignorons la plus grande partie de ce qu'ils possédaient.

La description de Pallas montre la vie des primitifs sous l'un des climats les plus rudes qui soient au monde, alors que les navigateurs du XVIIe et du XVIIIe siècles nous parlent de peuplades établies sous un soleil plus clément, à peine préoccupées de leur subsistance que la nature leur fournit en abondance. Ailleurs, dans les forêts vierges de l'Asie méridionale et de l'Amérique du Sud, la lutte de l'homme pour la vie est plus âpre.

J'ai voyagé et vécu pendant plusieurs mois chez les Négritos de l'intérieur de la presqu'île malaise, alors qu'aucun Européen n'était encore entré au cœur du domaine de ces tribus. Ces gens, peu nombreux d'ailleurs comme population, partagés en clans, parlant chacun leur dialecte particulier, vivent dans les vallées des montagnes les plus abruptes, où ils se sont retirés devant l'invasion malaise des plaines. Là, au milieu de forêts vierges sans fin, ils construisent de grandes habitations communes, longues parfois de quinze ou vingt mètres, composées d'une simple toiture en feuilles tressées de palmistes, posée à terre. Pour tout costume ils portent un pagne fait d'une écorce d'arbre assouplie par le battage; leurs armes sont la lance et la sarbacane pour les Sakayes, l'arc et la pique pour les Seumangs; flèches et lances sont terminées par un bambou acéré, enduit d'un terrible poison. Ils vivent de la chasse et de tubercules qu'ils trouvent dans la forêt; quelques-uns, ceux qui avoisinent les établissements malais, cultivent le manioc. Ils ne possèdent d'instruments métalliques que ceux qui leur parviennent par les Malais et n'ont pas de sel. De telles peuplades disparaîtront sans laisser aucune trace archéologique de leur existence.

Il ne nous est pas possible, dans nos contrées civilisées de l'Occident, de nous faire une idée exacte de ce que sont la chasse et la pêche dans les pays primitifs et peu habités, de ce qu'elles étaient chez nous-mêmes, au temps où les hommes ne disposaient pas des moyens puissants de destruction dont ils usent aujourd'hui. Le gibier, dans notre Europe, est devenu très rare et la chasse est un luxe; quant à la pêche, elle n'existe plus guère que de nom; mais quand on parcourt les pays neufs, dans lesquels les animaux sauvages sont à peine inquiétés, on se rend compte de ce que devaient être les ressources de nos régions, avant que la civilisation les eût presque réduites à néant. Tous les genres de gibier, le gros comme le petit, étaient d'une abondance extrême et d'énormes poissons habitaient nos rivières, de telle sorte qu'en quelques heures il était aisé de capturer une abondante nourriture; aussi les cavernes, comme les sites des campements préhistoriques, sont-ils remplis d'ossements brisés pour en extraire la moelle, de débris de poissons. Les conditions de la vie étaient très différentes de ce qu'elles sont aujourd'hui, et les populations, clairsemées, n'avaient pas grand effort à faire pour trouver leur subsistance.

Toutefois, le climat venant à se modifier, les ressources s'épuisaient ou changeaient de nature, contraignant les gens à modifier leur outillage, tout d'abord, puis à émigrer si la vie devenait trop difficile. C'est ainsi qu'en s'asséchant peu à peu, le nord de l'Afrique et la Syrie sont devenus inhabitables sur bien des points.

À El Mekta, près du Gafsa, à Jénéyen, dans l'extrême Sud Tunisien, et sur bien d'autres points du «bled» j'ai rencontré des stations préhistoriques dans des lieux aujourd'hui désertiques et l'on voit dans le même abri des couches formées d'ossements, renfermant une industrie de gros instruments de silex, recouvertes par d'autres couches où ne se rencontrent plus que des coquilles d'hélix, en quantité prodigieuse, et une industrie de tout petits instruments de silex ressemblant beaucoup à ce qu'en France on nomme l'Aurignacien. Aux chasseurs de gibier moyen avaient succédé les mangeurs d'escargots; puis ces hommes sont partis.

Ces modifications climatériques, bien que présentant parfois une assez grande étendue géographique, n'étaient à coup sûr pas suivies partout des mêmes effets; dès lors sur les points où elles se sont produites, elles ont entraîné dans l'industrie de l'homme des modifications, qu'il serait très osé de chercher à généraliser, de même qu'il serait dangereux de synchroniser deux industries à peu près semblables, sans avoir d'autres raisons que celle de l'analogie des formes, car ces formes peuvent être voulues par des circonstances se reproduisant dans des pays divers à des époques très différentes. Nous ne devons pas perdre de vue, d'ailleurs, que nous possédons, sauf en Égypte et au Pérou, qu'une très faible partie du mobilier de ces temps, les objets en matières incorruptibles, toujours la pierre, parfois l'os et l'ivoire, mais jamais la corne, le bois, et les autres substances périssables, et que par conséquent, nous devons être très circonspects quant à l'assimilation de deux industries sur la simple vue des instruments de pierre.

Si nous en croyons certains auteurs, les diverses industries de la pierre auraient eu chacune leur foyer et, peu à peu, gagnant de proche en proche, auraient couvert d'immenses régions, toute l'Europe suivant quelques-uns. On attribuait jadis cette propagation des types à des migrations et à des invasions; aujourd'hui l'on est plutôt porté à voir dans cette diffusion des influences commerciales. Il est à croire que ces trois causes sont souvent valables, mais qu'en plus les centres d'invention ont été multiples; d'ailleurs c'est sans raison plausible et sans la moindre vraisemblance qu'on a choisi dans nos pays, parce qu'ils étaient les mieux étudiés, les centres successifs de civilisation.

Qu'une découverte se soit propagée dans les pays aptes à son application, cela n'a rien qui puisse surprendre; il ne faut cependant pas accorder à cette puissance d'expansion plus de force qu'elle ne pouvait avoir, alors que les communications entre pays éloignés les uns des autres étaient si difficiles, souvent même impossibles, et que les besoins n'étaient pas en même temps semblables dans les diverses régions.

Il convient donc de ne pas accorder aux nombreuses classifications proposées une importance mondiale, mais d'en considérer les termes comme exprimant un état industriel local, d'aire variable, il est vrai, mais toujours limitée. Rien ne prouve, dans bien des cas, que les diverses industries de même type ont été partout contemporaines et, afin d'éviter toute confusion, pour ne pas faire supposer une généralisation que rien n'autorise, il est utile de joindre à la désignation du type, *acheuléen, moustiérien, magdalénien*, etc., un nom géographique permettant de le localiser, ce nom pouvant d'ailleurs exprimer de vastes étendues, au cas où le synchronisme serait établi par d'indiscutables preuves tirées de la stratigraphie, mais non pas de la paléontologie seulement; car, au cours des oscillations glaciaires, entre autres, les animaux ont certainement changé d'habitat, sans que forcément l'homme les ait suivis dans leurs migrations.

L'inégalité de l'état de conservation des industries primitives dans les différentes stations cause de grandes difficultés, quand il importe d'établir des comparaisons. Les alluvions ne nous livrent que les instruments de pierre, de même que les stations en plein air; mais nous ne savons pas de quoi se composait le mobilier accompagnant les types chelléen, acheuléen et moustiérien du nord de la France. On se base, pour établir leur succession, sur la position relative des couches alluviales. Or nous ne pouvons pas affirmer que ces courants successifs ont suivi le même chemin et par conséquent lavé des stations elles-mêmes successives; peut-être bien que, parcourant des districts différents avant d'en arriver à superposer leurs apports, ils ont simplement entraîné des silex taillés contemporains, mais de stations diverses, appartenant à plusieurs types industriels; les superpositions dans les alluvions de Gafsa, en Tunisie, sont probantes à cet égard.

Si nous avons, dans les pages qui précèdent, appelé plus spécialement l'attention sur les incertitudes très nombreuses qu'on rencontre dans la documentation sur laquelle est basée l'étude des industries préhistoriques, c'est que, ces sortes de recherches étant très répandues, il paraît sans cesse des travaux dans lesquels les auteurs se laissent entraîner à émettre une foule d'hypothèses qui souvent n'ont rien de scientifique. De réels progrès se font, il est vrai, chaque jour; mais il ne faudrait pas croire que nos connaissances sur la question puissent autoriser déjà l'établissement d'une chronologie relative analogue à celle que nous possédons en géologie. Les diverses formations de l'écorce terrestre étant successives, les difficultés géologiques résident uniquement dans la recherche des synchronismes.

Il n'en peut pas être de même en préhistoire, car l'évolution de l'humanité vers le progrès diffère suivant les lieux aussi bien que suivant les temps et suivant les facultés de l'homme. Ce n'est qu'en multipliant à l'infini les observations qu'on établira des provinces préhistoriques, répondant à chacun des stages industriels; mais, pour ce faire, il est nécessaire que tous les pays du monde soient étudiés avec autant de soin que l'ont été les régions occidentales et centrales de l'Europe, tâche immense qui exigera beaucoup de temps d'efforts. Ramasser des pierres taillées est un agréable passe-temps auquel se livrent des milliers de collectionneurs, mais relever les observations capables de nous instruire quant à la date relative des industries est l'œuvre du petit nombre, exige des connaissances multiples que ne possèdent pas la plupart des amateurs de cailloux taillés.

PREMIÈRE PARTIE

L'ÉVOLUTION DES INDUSTRIES

CHAPITRE PREMIER

L'INDUSTRIE PALÉOLITHIQUE

Les éolithes. — Alors que, par son développement cérébral, l'homme était encore voisin de l'animal, il songeait déjà certainement aux moyens de munir son bras d'une arme capable d'accroître ses forces d'attaque et de défense et, peu à peu, la pensée lui vint d'adapter à ses besoins les armes que lui fournissait le milieu dans lequel il vivait; il usa d'une branche d'arbre, la cassant à la longueur convenable pour sa taille, et, en dégrossissant la pierre, en la rendant tranchante, il créa ces outils grossiers pour lesquels on a proposé le nom d'éolithes; mais ces instruments primitifs présentent de telles ressemblances avec les «jeux de la nature» que, bien qu'on ne puisse mettre en doute leur existence, nous ne les pouvons distinguer avec sûreté des pierres éclatées par les forces naturelles. Certains archéologues ont cru pouvoir affirmer que ces outils primitifs étaient en usage durant l'époque tertiaire. L'abbé Bourgeois, en 1867, pensa voir une taille intentionnelle sur des silex (*fig. 7*, nᵒˢ 1, 2 et 2*a*) appartenant au niveau aquitanien de Thenay (Loir-et-Cher); en 1871, le géologue portugais Carlos Reibero en signalait d'autres dans les couches plus anciennes d'Otta (*fig. 7*, nᵒˢ 3 et 3*a*) (vallée du Tage); et G. et A. de Mortillet, dans leur *Musée préhistorique*, figurent des éolithes de Puy-Courny, près d'Aurillac (*fig. 7*, nᵒˢ 4 et 4*a*), instruments qui appartiendraient au Miocène et seraient comme ceux de Thenay et d'Otta nettement tertiaires; tout dernièrement des fouilles pratiquées à Ipswich, en Angleterre, ont donné des résultats analogues, mais quelque peu plus probants au dire des savants qui ont assisté aux recherches.

Le plus grand défenseur des éolithes tertiaires a été le géologue belge A. Rutot, qui non seulement les considérait comme représentant les premiers essais de l'homme dans la taille du silex, mais pensait qu'ils constituaient une industrie spéciale qui, débutant dans le Pliocène, se serait continuée jusqu'aux temps modernes parallèlement aux autres industries de la pierre (*fig. 7*, nos 5 et 6). Aucun fait cependant n'est venu confirmer cette hypothèse; bien au contraire, M. Boule, professeur au Muséum de Paris, a péremptoirement démontréque les malaxeurs industriels de Guerville, près de Mantes, en mélangeant des argiles et des craies pour la fabrication du ciment, fabriquent des éolithes en tout semblables aux échantillons de M. Rutot, et que, par suite, les actions naturelles sont amplement suffisantes pour produire ce que l'on a considéré comme des retouches intentionnelles.

Il n'en est pas moins vrai que nous ne pouvons nier les probabilités de l'existence d'une industrie très inférieure à celle du type paléolithique, ainsi que de la vie de l'homme vers les derniers temps du tertiaire. Malheureusement nous ne connaissons que bien peu de chose des dépôts terrestres laissés sur les continents durant les périodes miocène et pliocène; presque tous ont été lavés par les eaux lors des grandes inondations quaternaires et d'autres se sont abîmés dans les mers avec les continents qui les portaient: or c'est seulement parmi l'humus de ces époques que peuvent se rencontrer, dans des conditions probantes, les vestiges de l'homme et de ses industries.

Fig. 7.—*Éolithes*. 1, 2 et 2*a*, Thenay (Loir-et-Cher).—3 et 3*a*, Otta (Portugal)—4 et 4*a*, Puy-Courny.—5 et 6, Belgique.

Le type chelléen.—Les plus anciens instruments, manifestement taillés par la main de l'homme, dont la connaissance nous soit parvenue, sont des silex en forme d'amande, grossièrement éclatés par percussion sur leurs deux faces, terminés en pointe à l'une de leurs extrémités, arrondis à l'autre et légèrement renflés en leur milieu. Ils différent de dimensions et souvent aussi de forme générale, sont plus ou moins allongés, plus ou moins arrondis: leur taille est très variable, cependant ils présentent le plus souvent une longueur oscillant entre dix et quinze centimètres. C'est à Abbeville et à Amiens, dans le département de la Somme, puis à Chelles, dans la Seine-et-Marne, au milieu d'alluvions quaternaires, que ces instruments ont été rencontrés pour la première fois (*fig. 8*, n°s 1, 1*a* et *b*, n° 2); puis on a signalé leur présence dans les alluvions du nord de la France, de là Belgique, à Taubach, en Saxe-Weimar, dans les grottes de Grimaldi, près de Menton et en maintes autres localités de l'Occident européen; cependant en Saxe comme en Provence les coups de poing sont plutôt de type acheuléen.

Dans presque tous ces gisements, l'instrument typique, dit chelléen, se trouve mélangé avec des éclats de forme indéterminée avec ou sans retouches, et avec d'autres retaillés sur une seule face seulement, dont les archéologues ont fait le type dit moustiérien. En général, tout cet outillage de pierre est d'un travail fort grossier, spécialement dans les régions où, comme dans le midi de la France et de la Saxe, les matériaux dont l'homme pouvait disposer, les quartzites, les grès, les quartz, etc., ne s'éclatent pas aussi aisément que le silex.

Sauf dans quelques grottes, les instruments de type chelléen ont toujours été trouvés remaniés dans des alluvions dont l'âge relatif est indiqué par la présence d'ossements fossiles. À Chelles, ils se rencontrent avec des restes d'*Elephas antiquus, Rhinoceros Mercki, Trongotherium, Ursus spelœus, Hippopotamas amphibius, Hyæna spelæa* et d'équidés voisins du cheval tertiaire, l'*Equus Stenonis,* alors que, dans les alluvions des environs d'Abbeville, à ces espèces viennent s'ajouter *Elephas meridionalis, E. primigenius, Hippopotamus major, Sus scropha, Cervus Belgrandi, Bison priscus* et quelques autres grands vertébrés.

Fig. 8.—Instruments chelléens (Chelles).

Nous pouvons donc nous faire une idée assez exacte des conditions naturelles dans lesquelles vivaient ces hommes primitifs. La flore de cette époque nous est révélée par les tufs de la Celle-sous-Moret (Seine-et-Marne) qui souvent contiennent des empreintes végétales; on y rencontre l'arbre de Judée, le figuier, le laurier des Canaries, le buis, le fusain à larges feuilles, espèces qui correspondent à un climat doux et humide, plus tempéré que celui dont, aujourd'hui, jouit le bassin de la Seine.

Ces observations s'appliquent toutes à une même région, district de peu d'étendue, puisqu'il ne comprend que trois ou quatre départements limitrophes: mais si nous nous éloignons de sept au huit cents kilomètres vers l'est, en conservant à peu de chose près la même latitude, nous rencontrons, en Saxe, une faune et une flore quelque peu différentes. Là, au milieu des forêts de conifères, de bouleaux et de lauriers, vivaient: *Elephas antiquus*, *Rhinoceros Mercki*, *Bos priscus*, *Hyæna spelæa*, de nos régions, mais aussi *Ursus arctos*, *Sus antiquus*, *Equus caballus*, *Cervus euryceros*, *Cervus capreolus*, *Castor fiber*, et des capridés d'espèce indéterminée. Le climat de la Saxe était donc alors moins chaud que celui de la France, si nous admettons le synchronisme des dépôts du bassin de la Seine avec ceux de l'Europe centrale.

À Menton, les conditions climatériques étaient également quelque peu différentes; car on rencontre, dans le remplissage des grottes, des restes d'*Ursus arctos*, animal qui ne semble pas avoir existé dans nos pays septentrionaux à cette époque. Nous trouvons aussi en Provence orientale *Elephas antiquus* et *Rhinoceros Mercki*.

Quelle que soit la nature des gisements, nous ne connaissons rien de l'industrie chelléenne, en dehors de l'outillage de pierre; aucun instrument d'os ou d'ivoire n'est parvenu jusqu'à nous, l'incertitude plane même sur l'existence réelle du chelléen comme industrie spéciale. Nous avons vu que le type de Chelles est presque partout associé à des formes dites moustiériennes, instruments longtemps considérés comme étant typiques d'une industrie quaternaire plus récente et plus avancée. D'autre part, l'instrument chelléen renferme tous les principes de la hache acheuléenne ou «coup de poing» de G. de Mortillet; il est donc naturel de penser que si lesChelléens se sont contentés d'un instrument grossier, c'est que le besoin d'outils de taille plus soignée ne se faisait pas sentir pour eux, mais qu'ils étaient parfaitement aptes à façonner des instruments plus perfectionnés.

Type acheuléen. — L'industrie acheuléenne n'est autre qu'un cas particulier de l'industrie chelléenne, probablement voulu par des circonstances dont les détails nous échappent; mais si elle fut causée par des changements locaux ou par des modifications climatériques d'ordre plus étendu ayant amené de nouveaux besoins, nous l'ignorons encore. Si nous en jugeons par les données paléontologiques, à la faune interglaciaire, chaude ou tempérée correspondant au type chelléen, aurait succédé, dans nos pays, un refroidissement très sensible, et c'est peut-être à ce changement de la température que serait dû l'usage prépondérant d'instruments de même forme que ceux de Chelles, mais d'un travail plus soigné. Il semble d'ailleurs que ces deux instruments n'étaient pas taillés pour le même usage: alors que le coup de poing chelléen était destiné à frapper, la hache acheuléenne était conçue de telle sorte qu'elle fût en même temps apte à trancher et à frapper. Les instruments de type moustiérien qui, en abondance, accompagnent le type chelléen dans les alluvions comme dans les cavernes, prouvent que si les Chelléens ne taillaient pas leurs coups de poing avec plus de finesse, c'est qu'ils n'en éprouvaient pas le besoin.

L'instrument acheuléen (*fig. 9*, n°s 1, 2 et 3) est, en général, plus léger que celui de Chelles et ses formes sont plus variées; il en est de lancéolés, d'allongés d'une manière démesurée, au point de les faire prendre pour des poignards; d'autres sont elliptiques, arrondis même, discoïdes (*fig. 9*, n°4). Ces diverses formes sont certainement intentionnelles; mais nous ne connaissons pas les causes de leur choix.

On a longtemps discuté sur le mode d'emploi du coup de poing. Se basant sur ce fait que certaines peuplades sauvages qui en font encore usage l'emploient sans emmanchement, garnissant seulement le talon (la partie ronde) d'une sorte de résine, afin de protéger la paume de la main, G. de Mortillet a pensé qu'ils étaient tenus directement et sans manche; d'autres archéologues, au contraire, ont cherché à reconstituer leur mode d'emmanchement; somme toute, il est à penser que ces outils étaient employés de diverses manières. Cependant il semble certain que c'est par la pointe et par les côtés tranchants seulement qu'ils «travaillaient»; car, parmi ces instruments, ceux dont la taille est quelque peu négligée sont toujours inachevés au talon où, parfois, se montre encore la gangue qui couvrait entièrement la surface du rognon avant sa taille (*Cf. fig. 8*, n° 2); jamais ils ne sont négligés à la pointe.

On s'est également demandé si l'ouvrier recherchait le silex dans son site original, c'est-à-dire dans les couches qui avaient assisté à sa formation, ou s'il employait les galets alluviaux. Des milliers de spécimens de ces outils font penser que la provenance de la matière ne présentait aucune importance. Ce n'est que plus tard, lors de l'apparition de l'industrie néolithique, alors que la taille du silex était devenue un véritable art, que les tailleurs de silex sont allés chercher leur matière dans les couches géologiques elles-mêmes.

Dans les alluvions du nord de la France, à Saint-Acheul comme à Abbeville, les types industriels divers, chelléen, acheuléén et moustiérien (*fig. 9*, n° 5) se montrent parfois successivement, marquant la prédominance des trois formes dans les diverses couches; cependant, à la base des niveaux dits acheuléens, M. Commont a découvert à Saint-Acheul, en 1905, un atelier encore en place, renfermant une masse considérable d'éclats de débitage, un grand nombre de nucleus et d'instruments divers, des percuteurs, des enclumes, des racloirs, grattoirs, pointes, lames et coups de poing.

Fig. 9. — Instruments de type acheuléen (St-Acheul).

Jadis on considérait les trois «époques» des alluvions comme parfaitement distinctes et caractérisées par des industries passant de l'une à l'autre; mais voici que déjà ces théories absolues s'effritent dans notre propre pays, et l'on admet généralement que la «période» moustiérienne des provinces méridionales est synchronique de l'Acheuléen supérieur de la Picardie.

Dans le bassin de la Garonne, où le silex fait défaut, ce sont les quartzites qui le remplacent; il en résulte une industrie grossière qu'on rencontre d'ailleurs dans un très grand nombre d'autres régions (*fig. 10*) et qui, au premier aspect, semblerait être plus archaïque que celle du nord. Cependant la présence d'*Elephas primigenius*, *Rhinoceros lichorhinus* et *Felis spelœa*, et d'autres espèces encore, indique les concordances et les discordances chronologiques. Dans la Vienne et les Charentes, au contraire, les matières se prêtant à la taille, les instruments des mêmes industries montrent une finesse de travail et une régularité de contours des plus remarquables.

Fig. 10. — Instruments de type
chelléen (Lac Karar, Algérie).

Comme toujours, les alluvions peuvent laisser planer des doutes quant à l'âge relatif de ces industries qu'elles ne présentent que rarement complètes et accompagnés de témoins paléontologiques, ces restes pouvant avoir été remaniées de dépôts quelque peu antérieurs aux instruments qu'ils renferment. La station du Garret, dans la commune de Villefranche (Rhône), présente un exemple frappant de ces mélanges.

Sous ce rapport, les cavernes offrent bien plus de sécurité; or il se trouve en Dordogne, dans la commune de Tayac, un gisement de la plus haute importance, celui de la caverne de la Micoque, qui, exploré méthodiquement à partir de 1896, par MM. Chauvet et Rivière, a fourni sur l'industrie acheuléenne, dans le centre de la France, les renseignements les plus précieux.

Fig. 11. — Instruments de type acheuléen (Tunisie).

L'assise supérieure du gisement se compose d'une brèche peu compacte, renfermant d'innombrables restes très fragmentés d'un équidé, mélangés avec des silex taillés, coups de poing acheuléens atteignant parfois de grandes dimensions, parfois très petits (4 centimètres), presque toujours d'une exécution très soignée et, en beaucoup plus grand nombre, des éclats et des pointes, des racloirs, des disques, du type moustiérien le plus pur.

Ainsi dans nos pays eux-mêmes de l'Occident européen, les classifications par «âges» des divers types industriels de la pierre, proposées au début des études préhistoriques, perdent peu à peu de leur valeur, même locale, et l'homme de la période quaternaire se montre à nous comme possédant en même temps la connaissance des trois types, en faisant usage suivant les besoins spéciaux déterminés par les conditions climatériques et géographiques. C'est là cette étape de la civilisation que nous désignons sous le nom général de *paléolithique*, terme auquel nous sommes loin d'attacher une valeur chronologique générale; et nous excluons du paléolithique des auteurs les industries contemporaines des derniers temps glaciaires, industries très spéciales, mais qui, cependant, semblent être les filles de celles dont nous venons de parler.

Dans nos pays, l'industrie paléolithique semble avoir été d'assez longue durée et, pendant ce temps, il s'est bien certainement produit des progrès, des améliorations dans l'outillage; mais, d'après la documentation dont nous disposons pour ces temps, il ne nous est pas permis d'établir une classification solidement basée. Les premiers préhistoriens s'étaient trop hâtés de conclure à des divisions dont on ne saurait plus aujourd'hui admettre l'existence.

Mais ce n'est pas seulement dans l'occident de l'Europe que l'industrie paléolithique a été florissante; elle semble être née et s'être développée dans bien des régions. Nous disons née, parce qu'il n'est pas admissible que, partie d'un foyer unique, elle ait rayonné sur des pays aussi éloignés les uns des autres, franchi les mers, les déserts, les hautes montagnes.

Fig. 12. — Instrument de type acheuléen (Hte-Égypte).

Les instruments paléolithiques du type chelléen et acheuléen ont été rencontrés, soit dans les alluvions quaternaires, soit dans les cavernes, soit à la surface du sol, en France, en Belgique, dans le sud de l'Angleterre, en Espagne, en Algérie, en Tunisie (*fig. 11*), en Italie, dans l'Allemagne méridionale, en Hongrie, en Égypte (*fig. 12*), dans le désert central africain, au Cap de Bonne-Espérance, en Syrie, dans le désert syro-arabique, en Palestine, aux Indes, dans le Somal (*fig. 13*), en Amérique du Nord (*fig. 14*), au Mexique; ils sont encore en usage en Océanie, chez certaines peuplades. Leur présence est douteuse en Grèce, en Sicile, à Malte et en Sibérie. Ils font défaut en Scandinavie, en Écosse, en Irlande, dans le nord de l'Angleterre, de l'Allemagne, de la Russie, en Suisse, au Tyrol, dans les plateaux de l'Arménie, de l'Iran, du Tibet, de la Mongolie, en Chaldée, au nord de l'Amérique septentrionale, c'est-à-dire dans tous les pays inhabitables à l'époque glaciaire ou qui, en ces temps, n'étaient pas encore sortis des eaux. Cette industrie a donc été sinon universelle, du moins très répandue, certainement à des époques diverses, parce qu'elle répondait aux mêmes besoins et qu'elle utilisait les mêmes matériaux. Partout elle présente, à peu de chose près, les mêmes caractères. Par les cavernes de Grimaldi et de la Micoque, par les ateliers en plein air de la Tunisie, de l'Égypte et du Somal, nous savons que les hommes connaissaient alors le feu, qu'ils vivaient de la chasse et probablement aussi de la pêche. C'est là tout ce qu'il est permis de dire sur ces populations primitives.

Fig. 13. — Instruments de type chelléen et acheuléen (Somal).

Fig 14. — Instruments de type chelléen et acheuléen (Amérique du Nord).

Le type moustiérien. — L'industrie dite moustiérienne, dont nous venons d'ailleurs d'entretenir le lecteur (*fig. 15*, nos 1 à 3), tire son nom de la station du Moustier, dans la commune de Peyrac, au département de la Dordogne; là se trouve une vaste caverne qui pour la première fois en 1863 a été explorée par Lartet et Christy.

Nous avons vu plus haut que la taille des silex dits moustiériens remonte, dans nos pays, aux temps chelléens, c'est-à-dire qu'elle est contemporaine des plus anciennes traces certaines de l'homme parvenues à notre connaissance: toutefois ces instruments semblent n'avoir été que d'un usage secondaire, alors que le coup de poing chelléen ou acheuléen constituait l'outil principal. Au Moustier, et dans un grand nombre de cavernes de la Vézère, au contraire, l'usage du coup de poing devient rare, et la prédominance est aux instruments formés d'un large éclat retouché sur une face seulement.

Le grand développement du type moustiérien dans nos régions correspond à une phase climatérique froide et humide. Déjà nous avons vu que, lors de la prédominance du coup de poing acheuléen dans l'outillage, la température moyenne s'était de beaucoup abaissée. Ce refroidissement se continuant, la faune se modifia et, par les ossements dont la caverne de la Madelaine est encombrée, ainsi que toutes celles qui furent habitées à cette époque, nous constatons l'existence, dans la région, du mammouth, du *Rhinoceros tichorhinus*, de l'*Ursus ferox*, du *Cervus megaceros*, espèces caractéristiques de ces temps, auxquelles se joignaient le lion, l'hyène, le léopard, le renne, le glouton, le renard bleu, le bœuf musqué, le bouquetin, le chamois, la marmotte. La transition entre les deux faunes, d'ailleurs, s'était opérée graduellement, au fur et à mesure que les conditions climatériques se modifiaient et, avec elles, la flore.

Quant à l'homme, ainsi que le font aujourd'hui les Kamtchadales décrits par Pallas, il se réfugia dans les cavernes, aménagea les creux des rochers et certainement aussi, dans les vallées dépourvues d'abris naturels, près des cours d'eau, se construisit des demeures souterraines, tout comme les Tchoutches de la Sibérie orientale. Mais, pour occuper les cavernes, ils les devaient conquérir par les armes, car les animaux féroces en avaient fait leur demeure. Très souvent à la base des couches qui maintenant encombrent ces abris, on trouve les restes de leur occupation par les animaux, ours, lions et hyènes qui revenaient parfois s'y installer, soit après en avoir chassé les hôtes humains, soit alors que, pour une raison ou pour une autre, la caverne avait été abandonnée. Dans la grotte d'Echnoz-la-Moline, en Haute-Saône, on n'a pas trouvé moins de huit cents squelettes d'ours. D'après M. Dupont, bien des cavernes de la Belgique auraient été occupées tout d'abord par l'hyène, puis par l'ours, enfin par l'homme.

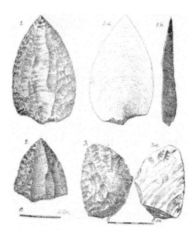

Fig. 15. — Instruments de type moustiérien (Le Moustier).

Les instruments prédominants dans l'outillage des troglodytes du Moustier sont la pointe (*fig. 15*, nos 1 et 2) et le racloir (*fig. 15*, nos 3 et 3*a*); la pointe est formée d'un grand éclat en ogive allongée, retouché des deux côtés sur l'une de ses faces seulement, celle qui portait les nervures répondant à l'enlèvement des éclats précédents sur le nucleus. Les racloirs sont taillés d'après le même principe, mais le plus généralement les retouches ne portent que sur un seul tranchant. Puis viennent des instruments de formes variées, lames à encoches, perçoirs, burins finement retouchés, mais toujours sur une seule face; enfin le coup de poing amygdaloïde, habilement ouvré, éclaté sur ses deux faces.

Fig. 16. — Pointe de type moustiérien, Silex blond. Oasis de

Fig. 17. — Pointe de type moustiérien. Silex patiné blanc. Somaliland (Rec.

43/273

Kharghiyeh (Égypte).   Seton Karr. Musée de St-
Germain, n° 35524).

On a longuement discuté sur l'usage de ces divers instruments;
mais la plupart des explications sont plutôt du domaine de
l'imagination que de celui de la science; car, ignorant complètement
quels étaient les usages des hommes aux temps de cette industrie,
nous ne pouvons affirmer aucun emploi d'une manière certaine. Les
gens du Moustier, comme ceux de Menton et de Taubach,
connaissaient le feu. Ils ne semblent pas avoir fait usage de l'os
travaillé, ou du moins nous ne possédons pas d'instruments de cette
matière; à peine connaît-on quelques phalanges de cheval et des
humérus de bison portant des stries qui, peut-être, ont été entaillées
par la main de l'homme. Les gens du Moustier brisaient les os dans
le sens de la longueur, afin d'en extraire la moelle; mais il ne
semble pas qu'ils en aient utilisé les esquilles, tout au moins ils ne
les ont pas façonnées.

Fig. 18. — Instruments de type quaternaire, Riv. Pénar (Hindoustan
Central). Rec. Seton Karr.

Fig. 19. — Instruments de type moustiérien (Trenton. — Coll. Abbott,
d'après des Croquis du Dr L. Capitan).

L'industrie moustiérienne se rencontre dans toute la France, on en a constaté l'existence jusqu'en Croatie, dans d'autres régions telles que la Tunisie, l'Égypte (*fig. 16*), la Syrie, au Somal (*fig. 17*), dans les Indes (*fig. 18*), aux États-Unis (*fig. 19*); elle est intimement mélangée avec celle dite acheuléenne et, dans les diverses stations, les proportions des deux types sont sensiblement égales. Ces similitudes dans la forme des instruments portent à penser que ces industries se sont, aux mêmes époques, étendues sur la majeure partie de l'Europe occidentale et centrale; mais il n'en faudrait pas déduire que les différents peuples qui habitaient nos pays étaient du même sang. Quelques pierres taillées ne suffisent pas pour nous éclairer sur les questions ethniques.

CHAPITRE II

LES INDUSTRIES ARCHÉOLITHIQUES EN EUROPE

L'effondrement du continent septentrional qui, durant les temps de la grande extension glaciaire, constituait le principal réservoir des neiges et le point de départ des mers de glace, en causant la fusion de ces grandes masses d'eau congelée, amena, en même temps que de formidables inondations, un grand abaissement de la température moyenne dans les régions voisines des anciens champs de glace; et cette période de froid, qui dans nos régions fut assurément de longue durée, causa de profondes modifications dans la flore, comme dans la faune, ainsi que dans les conditions d'existence de l'homme. Très certainement alors eurent lieu de grandes destructions par les eaux et d'importants déplacements de populations, car, d'une part, l'aire habitable s'accroissait par l'abandon que les glaces faisaient de vastes régions, et d'autre part elle diminuait en raison de ce que bien des terres disparaissaient peu à peu sous les eaux, momentanément ou pour toujours.

Dans bien des régions, telles l'Égypte, le Somal, la Mésopotamie, l'Hindoustan, les populations furent balayées en même temps que la faune qui vivait avec elle; aussi, dans ces pays, constatons-nous l'existence d'un long hiatus au cours duquel aucune trace de l'homme ne se présente. Cet hiatus correspond aux temps de l'industrie archéolithique. Ce dépeuplement évident dans les régions que je viens de citer est moins clair dans l'Occident européen, où il n'affecte que des pays de moindre étendue. Après ce cataclysme la vie s'est conservée dans des «districts de survivance», chez des hommes échappés à la mort par suite de la situation de leur habitat, et par d'autres qui ont eu le temps de s'enfuir devant le danger. Là, dans ces «districts de survivance», se sont développées de nouvelles industries, voulues par les nouvelles conditions de la vie. L'Aurignacien, première phase de cette évolution, en Occident, est né de l'industrie moustiérienne, cela ne fait aucun doute aujourd'hui. Dès lors, commença la multiplication des humains dans ces foyers d'où devait, peu à peu, partir la reconstitution de la population du Globe. Partout où l'on rencontre des restes de l'industrie archéolithiques des débuts, on peut tenir pour certain qu'il a existé des «districts de survivance», partout où l'on constate l'existence d'une lacune, à la suite du paléolithique, on peut être sûr qu'après être demeuré pendant un temps plus ou moins long privé de population, ce lieu a été colonisé de nouveau par des gens venus de l'extérieur, soit des districts de survivance, soit de pays lointains.

Cette phase de la vie, dans nos pays, culture à laquelle on a généralement donné le nom d'*âge du renne*, en raison de l'abondance de ce cervidé dans la faune d'alors, que Piette désigne sous celui de *période glyptique*parce qu'on rencontre dans certaines localités des matières dures, os, ivoire, pierre, bois de renne, sculptées ou gravées, se sépare très nettement de la phase paléolithique par la stratigraphie comme par les caractères propres à ses industries diverses. Le Dr Hamy, dès 1870, dans son *Précis de paléontologie humaine*, avait partagé la fin des temps quaternaires en trois époques successives après celle du Moustier, la plus ancienne étant l'industrie d'Aurignac, puis celle de Solutré, et enfin celle de la Madelaine, la plus récente, qui termine la série de ce que nous nommons l'industrie archéolithique de l'Europe occidentale. Cette succession est généralement admise aujourd'hui.

Cette phase de l'industrie, très développée dans nos régions, dénote de la part des habitants de nos pays des aptitudes inconnues jusqu'alors: les arts débutent, ou du moins c'est à cette période que nous rencontrons leurs premières manifestations.

Les industries archéolithiques et mésolithiques du silex présentent, comme caractères généraux, que les instruments sont faits d'éclats retouchés de diverses manières; elles diffèrent en cela de l'industrie paléolithique qui utilisait le noyau même en le taillant sur ses deux faces, et l'éclat en le retouchant d'un seul côté, celui qui est opposé au bulbe de percussion. Les instruments moins anciens se présentent sous un grand nombre de formes, très localisées, les unes indépendantes, les autres procédant les unes des autres par transformations.

D'après les données actuelles, nous voyons que certaines régions, telle l'Europe occidentale, ont connu de nombreuses formes de transition entre le type chelléo-moustiérien et la pierre polie, alors que d'autres n'en possèdent que quelques-unes et que, dans certains pays, on semble passer directement de l'industrie paléolithique à la culture néolithique, peut-être même à celle du métal, sans rencontrer la moindre trace d'une phase quelconque archéolithique ou mésolithique. L'Égypte est dans ce cas et l'Italie paraît être passée directement d'un type archéolithique à l'industrie campignienne, sans avoir connu les formes solutréennes et magdaléniennes.

En Amérique du Nord, les industries sont confuses entre la forme acheuléenne et la pierre polie; on rencontre en même temps des instruments appartenant à tous les types européens, depuis celui du Moustier jusqu'à celui des Kjœkkenmœddings danois et, pour une bonne part, ces outils, ou tout au moins ces formes, étaient encore en usage chez les Indiens, bien des années après la colonisation des côtes par les Européens.

Afin de se rendre compte de ce qu'étaient les conditions de l'existence de l'homme durant la période qui, en France, a connu les diverses industries archéolithiques, il est nécessaire de se reporter aux phénomènes qui prirent place, lors de la disparition des grands glaciers, et d'examiner dans quel état les neiges laissèrent le sol.

Dans leur retrait, les glaces abandonnèrent peu à peu d'immenses territoires, arides d'abord, quoique trempés d'humidité, coupés en tous sens par des cours d'eau, couverts de fondrières, de marais, de lacs, d'îlots de glace en fusion. C'est sur ces terres que peu à peu gagna la zone des graminées. Il se forma, dans les contrées plates, d'immenses prairies dont s'empara le gibier, suivi par les chasseurs, soit que l'homme y fixât sa demeure, soit qu'il y vînt faire des expéditions de chasse, pendant les saisons favorables seulement. En arrière, les forêts gagnant progressivement sur les prairies, suivant de loin le mouvement des glaces, offraient le facies des pays froids et cette première zone forestière, de profondeur variable, se trouvait être elle-même remplacée, plus en arrière encore, par des boisements de climats plus tempérés, semés de clairières, de marais dans les bas-fonds, et de pâturages sur les lieux élevés; flore et faune connurent tous les intermédiaires entre les zones glacées et les pays vraiment chauds.

Il ne faut pas oublier que la fusion d'amas de glaces aussi importants, absorbant une énorme quantité de chaleur, produit, dans son voisinage, un abaissement intense de la température; ce froid porta principalement sur la zone des steppes, plus voisine des glaciers que celle des forêts. Dans ces conditions les inégalités climatériques des diverses parties de la France étaient beaucoup plus grandes qu'elles ne le sont aujourd'hui, et l'ensemble était plus froid. Le renne se multiplia rapidement, les équidés parcoururent en grandes troupes les steppes de nos pays septentrionaux et centraux en compagnie des bisons, si nombreux encore en Amérique du Nord en ces derniers siècles. Les forêts offrirent aux mammouths la nourriture en même temps que les retraites mystérieuses qu'affectionnent les pachydermes, les capridés suivirent dans les montagnes le retrait des neiges. C'est dans ce milieu complexe, varié à l'infini, que se développèrent, dans l'Europe occidentale et centrale, les industries archéolithiques celles des survivants aux désastres qui ont accompagné et suivi la disparition des glaciers. Ailleurs, dans les régions plus voisines des tropiques, les conditions de la vie étaient différentes.

Depuis quelques années, grâce aux travaux d'une pléiade d'observateurs consciencieux, les découvertes portent leurs fruits; à la confusion bien naturelle des débuts succèdent aujourd'hui des classifications rationnelles, les dates relatives deviennent certaines, et l'aire d'extension des industries diverses se précise. Les unes, largement étendues, couvrent tous les pays qui séparent l'Espagne de la mer du Nord; d'autres sont plus restreintes. L'homme est mieux armé contre les difficultés de tout genre que lui oppose la nature et, peut-être aussi, ces difficultés sont-elles moins grandes que par le passé; mais il est beaucoup moins nombreux et laisse encore pendant longtemps d'immenses territoires vides.

INDUSTRIE AURIGNACIENNE

Instruments en silex (fig. 20). — Les pointes et racloirs de type moustiérien abondent dans les couches aurignaciennes; mais on rencontre aussi bon nombre de formes jusqu'alors inusitées, entre autres des racloirs taillés sur des éclats très épais, parfois même sur des blocs ayant l'aspect de nuclei; ce dispositif a certainement été adopté pour que l'outil présentât une plus grande résistance à la rupture; il était donc destiné au travail de matières relativement dures. Puis viennent des lames à encoche simple ou double, d'autres retouchées d'un seul côté, formant ainsi des couteaux munis d'un dos; des perçoirs plus ou moins fins de pointe, des burins busqués et des burins d'angle, destinés au travail des matières résistantes, telles que la pierre, l'ivoire, l'os, la corne, le bois dur, etc... toutes ces formes sont nouvelles et quelques-unes persisteront jusqu'à l'apparition du métal.

Instruments en os. — L'outillage aurignacien en os est sommaire et grossièrement travaillé, il se compose de pointes fendues ou non à la base, de grosses épingles ou poinçons garnis d'une tête, de lissoirs et d'os portant des traits assez profondément gravés. Mais nous ne savons pas quel était l'usage de ces divers objets.

C'est avec l'industrie que nous venons d'examiner que se présentent les premières tentatives artistiques de l'homme, ou du moins les plus anciennes dont nous ayons actuellement connaissance. Ce sont des essais de gravure sur roche tendre et de naïves sculptures en haut relief, figurines représentant le plus souvent des femmes nues. Nous reviendrons sur ce sujet en parlant de l'Art aux temps quaternaires, mais il était utile de les citer ici, car la gravure et la sculpture expliquent l'existence des burins trapus et des racloirs très épais, indispensables pour entamer les matières dures.

Avec les restes de l'industrie aurignacienne, on rencontre les os de tous les animaux dont l'homme faisait alors sa nourriture, et dont il employait les dents et les os pour fabriquer les ustensiles nécessaires à sa vie, les fourrures pour son vêtement, car il faisait froid. Ces animaux sont: *Elephas primigenius*, *Rhinoceros tichorinus*, *Ursus spelœus*, *Felis spelœa*, *Hyæna spelæa*, *Equus caballus*, *Bison priscus*, *Cervus megaceros*(d'Irlande), le renne en très grand nombre, le bouquetin (*Capra ibex*), le chevreuil (*Cervus capreolus*), un ours et une hyène indéterminés.

Certes le gibier était abondant, mais souvent d'une capture difficile et les carnassiers étaient redoutables. Comment ces hommes se seraient-ils emparés d'animaux de cette puissance avec le seul outillage que nous connaissons d'eux? Ce ne sont pas les petites pointes de silex du type moustiérien qui étaient capables de les aider à jeter à terre un mammouth ou un bison. Ils disposaient certainement d'armes plus puissantes, faites de matières qui se sont corrompues, de bois ou de corne, et probablement aussi employaient-ils les lacets, les pièges et des fosses analogues à celles qui sont encore en usage dans l'Indo-Chine pour s'emparer du tigre, fosses garnies de bambous effilés fichés dans le sol, sur lesquels l'animal se transperce lui-même dans sa chute.

Fig. 20—Industrie aurignacienne. Types principaux de silex taillés.

Cette observation, d'ailleurs, quant à l'insuffisance de l'armement de pierre, s'applique à toutes les phases du quaternaire, à bien des peuplades sauvages de nos temps; mais de nos jours ces primitifs accroissent l'efficacité de leurs flèches et de leurs piques par le poison dont ils enduisent les pointes: peut-être en était-il de même à ces époques reculées.

La teinture. — Nous ne possédons d'autres preuves de cet usage que la présence dans les couches aurignaciennes des cavernes de couleurs minérales. Dans la station des Roches (Indre), M. Septier a découvert dix-sept échantillons de matières colorantes, dont une plaque de sanguine, des terres argileuses rouges ou lie de vin, des grès contenant de l'oxyde de fer, de l'ocre rouge et jaune, de fragments de pyrolusite et d'oxyde de manganèse. Des minerais de fer et de manganèse ont été découverts dans la grotte des fées, et dans la caverne aurignacienne des Cottés (Vienne) on a trouvé un canon de renne gravé renfermant de l'ocre.

Quel était l'usage de ces couleurs? les employait-on pour teindre les peaux dont les Aurignaciens faisaient leurs vêtements, ou pour des peintures corporelles, telles qu'ils s'en pratique encore chez de nombreuses tribus sauvages, telles qu'elles étaient en usage dans l'Égypte anté-historique, voire même chez les Ligures et les Gaulois? On serait porté à croire que ces gens se couvraient le corps de peintures, si l'on s'en rapporte aux objets qui accompagnaient les foyers de cette époque au Crot-du-Charnier (Solutré): ornements grossiers de parure en os et en ivoire, mélangés à des morceaux de matières colorantes et des plaquettes de schiste qui, probablement, comme dans la vallée du Nil, tenaient lieu de palette pour écraser et mélanger les couleurs avec l'huile, la graisse ou l'eau.

INDUSTRIE SOLUTRÉENNE

Les coupes relevées au Crot-du-Charnier, à Solutré (Saône-et-Loire), ne permettent aucun doute quant à la priorité de l'industrie aurignacienne sur celle des Solutréens, la première de ces deux industries étant représentée à la base par deux niveaux de foyers séparés entre eux et recouverts par des zones d'éboulis. C'est au-dessus de la dernière couche stérile que se trouvent les foyers solutréens accompagnés d'une faune tout autre que celle des niveaux inférieurs. On y rencontre en effet: le loup et le renard, *Hyæna spelæa, Ursus spelœus* et *U. arctos, Meles laxus, Mustella pustorius, Lepus timidus, Elephas primigenius, Equus caballus, Cervus tarandus,Cervus canadensis, Bos primigenius,* et des oiseaux indéterminés, échassiers, rapaces, etc.... Dans les couches intermédiaires, entre les foyers des deux industries, est une assise composée entièrement d'ossements d'équidés. On avait même pensé que les Solutréens avaient domestiqué le cheval; mais cette opinion a été abandonnée.

Instruments en silex (fig. 21).—L'ensemble de cet outillage est remarquable par la finesse de sa technique. Les instruments, toujours composés d'éclats plus ou moins grands, habilement retouchés, sont de deux natures différentes. Les uns sont taillés seulement sur une face, pointes, grattoirs, perçoirs, scies, etc., analogues à ceux des industries moustiérienne et aurignacienne; les autres, façonnés sur les deux faces, mais peu épais sont des têtes de javelots, d'épieux, des poignards (?); tous affectent la forme lancéolée de la feuille de saule ou de celle de laurier; ils sont parfois arrondis à l'une de leurs extrémités, alors que l'autre demeure aiguë.

C'est une véritable révolution qui s'opère dans le travail de la pierre, lors de l'apparition de l'industrie solutréenne; et ce type de la pointe lancéolée sera de tous les temps et de tous les pays à des époques différentes. Au néolithique il se montre en Scandinavie, en Égypte, en Tunisie, dans le centre de l'Afrique, en Susiane, au

Mexique, aux États-Unis, soit sous forme de pointes de flèches, soit de taille suffisante pour armer des lances ou des javelots; on le connaît en silex, en quartz, en pétro-silex, en obsidienne, etc...; mais on trouve aussi des têtes de flèches à crans et à pédoncule. Tout l'outillage des Aurignaciens se conserve, parfois même plus complet que dans cette industrie; on y voit le racloir double, le perçoir simple ou double, bref presque toutes les formes que peut prendre le silex sous la main d'habiles ouvriers.

Instruments en os. — Une série de belles aiguilles en os percées d'un chas et d'un travail délicat a été retirée de la couche de foyers où ces instruments de couture étaient en compagnie de pointes de flèches à crans, d'outils de bois de renne gravés au trait, de coquilles et de dents d'animaux perforées pour la suspension, et les Solutréens se livraient à des travaux d'art, gravaient sur les palettes des bois de renne, des figures animales.

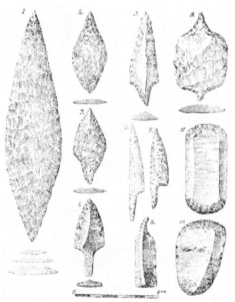

Fig. 21 — Industrie solutréenne. Types principaux de silex taillés.

Distribution géographique. — Mais l'industrie solutréenne est cantonnée dans une partie de nos pays et présente un intérêt plutôt local. Elle fait presque complètement défaut dans le nord de la

France, il en existe des traces en Belgique, dans les îles Britanniques, sur le Rhin en Bavière. Elle semble s'être surtout développée entre le Massif central et le Jura d'une part, et d'autre part vers les Pyrénées et l'Espagne dans la Catalogne.

Toutefois quelques découvertes faites à Prédmost (Moravie) et dans les cavernes des environs d'Oïcow (Pologne russe), en Wurtemberg et en Hongrie ont paru pouvoir être attribuées à l'industrie solutréenne. Il se peut que les formes soient analogues; mais, par suite de l'éloignement de ces stations de l'aire solutréenne de France, déjà restreinte, il est bien difficile d'admettre l'identité et le synchronisme proposés par les Allemands.

Cette industrie, sûrement imposée par la faune et le climat d'une partie seulement de la France, semble être très spéciale à nos pays. Certaines de ses formes ont été en usage dans d'autres régions: la pointe de flèche à crans, la pointe à pédoncule, le grattoir double, la pointe en feuille de laurier, etc... Mais ces analogies ne doivent pas être prises en considération autrement que pour constater une fois de plus que des besoins analogues ont fait naître des instruments semblables: la présence de pointe de type solutréen (épais) dans le paléolithique inférieur de l'Égypte et de l'Algérie en est la preuve.

INDUSTRIE MAGDALÉNIENNE

L'industrie dite magdalénienne, du nom de la grotte de la Madelaine, dans la commune de Tursac (Dordogne), constitue, dans nos pays, la phase finale de l'époque du renne, l'ultime témoin de la vie de l'homme pleistocène; elle est la dernière des cultures que nous désignons sous le nom d'archéolithiques.

À cette époque le climat de l'Europe occidentale demeure toujours très froid; et il est à penser que les frontières des continents vers la mer n'étaient pas établies telles qu'elles sont de nos jours, qu'il existait encore quelques grandes terres s'opposant au passage des courants marins qui font actuellement de nos pays des régions tempérées. Le climat de la France était alors continental. La preuve en est dans ce que notre sol nourrissait alors une faune arctique: antilope saïga, cerf du Canada, bœuf musqué, lemming, renard bleu, ours gris et l'animal du nord par excellence, le renne. Cependant les derniers mammouths et rhinocéros, probablement coupés dans leurs migrations vers le sud, vivent encore dans nos forêts; leur présence d'ailleurs ne doit pas surprendre; car, malgré l'apparition de froids intenses, ils ont encore pendant longtemps habité la Sibérie et, plus au nord, les îles Liakow.

L'homme vit toujours dans les cavernes et assurément aussi dans des abris souterrains qu'il construit de ses mains. Il conserve les habitudes de chasseur et de pêcheur, se nourrit de gibier et de poisson; mais l'expérience des générations qui l'ont précédé lui enseigne des perfectionnements nombreux dans le parti qu'il tire pour son armement des matières dures animales, telles que l'os et l'ivoire; probablement aussi emploie-t-il plus avantageusement le bois, la corne et toutes les substances qu'il avait à sa disposition, mais qui n'ont pas résisté aux injures des temps. Les Solutréens semblent avoir tiré de la taille du silex tous les avantages qu'on en pouvait alors attendre; après eux, c'est vers l'ivoire et l'os que se tourne l'attention des Magdaléniens et, bien que conservant la plupart des formes de leurs prédécesseurs, sauf toutefois la pointe en feuille de laurier et la pointe à cran, ils créent une multitude d'instruments nouveaux en os et en ivoire, instruments que, pour beaucoup, nous retrouvons encore en usage chez les peuples primitifs de nos temps.

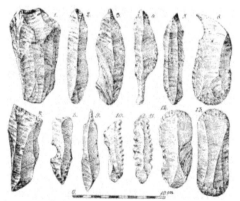

Fig. 22. — Industrie magdalénienne (types principaux de silex taillés).

Instruments en silex (fig. 22). — La grande importance donnée par les Magdaléniens au travail de l'ivoire, de l'os et du bois de cerf et de renne, les contraignit à fabriquer toute une série d'instruments de silex particulièrement appropriés aux services qu'ils en attendaient pour ces travaux spéciaux; aussi voyons-nous paraître une foule de formes inconnues jusqu'alors. Ce sont des lames retouchées sur les côtés et munies d'un pédoncule probablement destiné à l'emmanchement, des racloirs droits ou obliques, des lames à crans multiples pouvant remplir le rôle de scies, des poinçons et burins, parfois d'une finesse extrême, puis des types hybrides de grattoir-burin. Il en est de même si fins, parmi ces instruments, qu'on a supposé qu'ils étaient destinés à percer le chas des aiguilles d'os ou à piquer la peau pour les tatouages; mais à côté de ces formes spéciales on retrouve les grands grattoirs simples ou doubles, les lames simples ou retouchées, en abondance extrême, très habilement enlevées des nuclei, lames de toutes tailles, depuis celles de quelques millimètres de largeur jusqu'aux longs couteaux de vingt et quelques centimètres de longueur, toutes en quantités innombrables dans les cavernes.

Instruments en os, en ivoire et en bois de renne et de cerf (fig. 23). — Nous n'envisagerons ici ces instruments qu'au point de vue de leur usage; tous sont plus ou moins ornés, leurs caractères artistiques seront traités dans le chapitre spécialement consacré aux arts.

Les instruments caractéristiques de l'industrie magdalénienne sont le harpon et la pointe de sagaie, ces armes étant toujours fabriquées en ivoire, en bois de renne ou en os.

La tête de sagaie est une simple tige de section ronde ou elliptique, très effilée à la pointe et soit large à la base, soit amincie, suivant que l'emmanchement se faisait par application sur l'extrémité de la hampe ou par la pénétration dans le bois creusé à l'avance. Dans les deux cas il était nécessaire de faire autour de cet emmanchement une forte ligature au moyen de nerfs préparés à cet effet. Les peuples primitifs modernes font grand usage de ces sortes d'armes et, dans nos musées ethnographiques, nous en conservons des panoplies entières.

Des pointes de petites dimensions armaient les têtes des flèches; car il est à penser que les Magdaléniens, si avancés sous le rapport de l'outillage, qui connaissaient le propulseur tel que celui dont les Australiens, les Tchouktches et les Esquimaux font encore usage, n'ignoraient pas l'emploi de l'arc, peut-être même les Solutréens étaient-ils déjà des archers.

Le harpon magdalénien est une longue pointe à section ronde, garnie de barbelures souvent très nombreuses, parfois rangées d'un seul côté, mais fréquemment aussi sur les deux côtés; dans ce cas les barbelures alternent à droite et à gauche, à distance égale les unes des autres.

Parmi ces harpons il en est de très petits qui, probablement, armaient des flèches; ils sont exécutés sur le même modèle.

Fig. 23. — Industrie magdalénienne (instruments en os et en ivoire).

À la base de ces instruments, deux pointes saillantes permettent d'assurer l'emmanchement et dans le cas où la hampe se séparerait de la pointe, à servir de cran d'arrêt au fil flotteur.

Quant aux propulseurs, la grotte du Mas d'Azil (Ariège), la station de Bruniquel (Tarn-et-Garonne) et bien d'autres localités nous en ont fourni des spécimens, soit entiers, soit en fragments. Ce sont des baguettes cylindriques munies d'un cran d'arrêt, semblables en tout aux propulseurs modernes, mais le plus généralement ornées de sculptures souvent très remarquables, représentant des animaux.

On rencontre, en outre, dans les grottes magdaléniennes, de singuliers instruments dont on ignore l'usage et auxquels on a donné le nom de «bâtons de commandement». Ce sont des morceaux de bois de renne coupés à une petite distance en dessous et en dessus de la naissance d'un andouiller, percés de larges trous circulaires et fréquemment ornés de gravures représentant des animaux ou de simples lignes plus ou moins régulières. On en rencontre des traces dès l'époque solutréenne; mais c'est au magdalénien qu'ils sont le plus fréquents.

Il n'est pas d'explications qui n'aient été proposées quant à l'usage de ces curieux instruments; la plus vraisemblable est celle qui leur attribue une valeur magique ou religieuse.

À cette liste, déjà longue, d'instruments en os, en ivoire et en bois de renne, il faut ajouter les aiguilles, remarquables par leur facture et surtout par l'habileté avec laquelle le chas en a été percé, des épingles garnies ou non d'une tête, des spatules, des lissoirs, des os effilés par polissage et des instruments de forme indéfinissable, dont la destination demeure inconnue.

Quand on voit combien les Magdaléniens étaient devenus habiles dans le travail de l'os, avec quel soin ils polissaient leurs instruments, on est surpris de constater qu'ils n'ont jamais tenté de polir la pierre elle-même. C'est par la finesse et la précision de la taille qu'ils suppléaient au tranchant produit par l'usure et, leurs principales armes étant en os et en ivoire, ils n'éprouvaient pas le besoin de les remplacer par des instruments fragiles de silex.

La céramique. — Aucune de nos stations magdaléniennes n'a fourni de poteries; mais les préhistoriens belges les plus dignes de foi affirment l'existence, dans les stations de même époque des vallées de la Meuse et de la Lesse, d'une céramique, très primitive il est vrai, mais nettement caractérisée. Cette poterie est faite à la main, d'une pâte grossière et mal cuite. On n'en possède pas de vases entiers, mais de simples fragments, qui semblent avoir appartenu à de grands bols évasés et à fond plat.

On sait que bien des tribus de nos temps, très primitives dans leur culture, ne connaissent pas l'usage de la poterie et que, principalement chez les nomades, les vases de terre sont exclus du mobilier par suite de leur fragilité; les peuples plus avancés les remplacent par des ustensiles métalliques, les plus barbares par des récipients de cuir ou de bois. C'est probablement ce qui avait lieu chez les troglodytes magdaléniens de nos régions. Cependant on rencontre parfois dans les cavernes des géodes de silex, de tailles diverses, aussi amincies par une taille grossière, et l'on trouve des galets creusés en forme de mortier, quelquefois munis d'une sorte de manche. On a comparé ces pierres à cupules aux objets analogues dont se servent les sauvages de l'Amérique du Sud pour se procurer du feu, en faisant tourner rapidement dans ces cavités rugueuses un bâton de bois sec et inflammable. L'existence de la poterie dans une station n'implique donc pas, d'une manière absolue, la nature et l'époque de l'industrie de ce gîte.

Distribution de l'industrie magdalénienne.—Cette industrie semble avoir occupé une aire considérable dans l'occident de l'Europe; on la rencontre dans presque toute la France, dans le sud et le centre de l'Angleterre, en Belgique, dans l'Allemagne centrale, l'Autriche, la Hongrie, en Pologne et jusqu'en Russie. Au sud, dans les pays méditerranéens on ne la connaît encore qu'en Espagne septentrionale, mais elle se montre dans les cavernes de la côte syrienne. Elle s'étend donc, sauf en ce qui concerne la Syrie, sur des régions qui, à ces époques, jouissaient de climats analogues et possédaient à peu de choses près la même flore et la même faune. La présence, dans les assises magdaléniennes, de coquilles de l'Océan et de la Méditerranée, employées comme parure, permet de penser qu'à cette époque les relations commerciales, de proche en proche, étaient assez étendues déjà, et l'on en a conclu que, débutant dans un de ses districts, ces formes se sont répandues au loin. Cette explication certainement est satisfaisante, parce que l'aire reconnue pour le magdalénien n'est pas immense, et que par suite le magdalénien, créé pour des conditions spéciales, n'est pas sorti de son milieu d'origine: quant à son foyer unique, son existence est loin d'être démontrée; car il se peut fort bien que la plupart de ses formes, étant voulues par les nouvelles conditions de la vie, soient apparues en même temps dans bien des régions différentes, chez des tribus très diverses au point de vue ethnique. Notre documentation relative aux districts orientaux de Russie, de Pologne, de Hongrie et de la Syrie est encore trop incomplète pour que nous soyons autorisés à unifier toutes les industries d'aspect général magdalénien, et à les considérer comme étant toutes contemporaines; nous ne savons même pas s'il existe un synchronisme parfait entre les conditions climatétiques de l'Occident et celles de l'Orient à l'époque du renne; si cet animal s'est retiré vers le nord en partant de nos régions ou des steppes de Russie. La présence actuelle de l'auroch dans les forêts de la Lithuanie, et son existence en Germanie au temps de César et de Tacite, alors qu'il avait disparu de la Gaule, semblerait indiquer que la migration de ces animaux se serait produite d'abord d'ouest en est, au travers de l'Europe centrale, en suivant les transformations climatériques, puis du sud au nord, à partir des plaines russes, pour gagner la Laponie et les côtes de l'océan Glacial. En ce cas, l'industrie appropriée aux conditions de la vie du renne aurait suivi et il n'existerait pour les diverses stations à partir des Alpes, aucun synchronisme. D'ailleurs, bien des milliers d'années après l'extinction de la culture magdalénienne dans nos pays, de nombreuses tribus septentrionales ont encore conservé des souvenirs de ces industries; et il n'est pas possible de nier que ces inventions, correspondant à des usages spéciaux, ne sont pas nées partout où le besoin s'en est fait sentir (*fig. 24*).

Fig. 24. — Silex taillés de l'industrie capsienne. — 1 à 8 El Mekta (Tunisie). — 9 à 15, Fum el Maza (Tunisie).

L'industrie magdalénienne, même en Occident, est très loin d'être homogène: dans les nombreuses stations où l'on trouve ses restes, elle varie dans bien des détails de l'outillage, ainsi que dans le développement plus ou moins grand des goûts artistiques; ce sont là différences dues soit à des conditions régionales, soit à l'époque relative des stations les unes par rapport aux autres; mais par suite de la nature des recherches, des méthodes employées et des tendances d'esprit des chercheurs, ces divers témoins de la vie magdalénienne ont reçu des noms plus ou moins justifiés, chacun étant considéré, bien à tort à notre avis, comme correspondant à des âges spéciaux. C'est ainsi que nous voyons paraître les industries *éburnéenne, glyptique, gourdanienne, larandienne, lortetienne, élaphotarandienne, hippiquienne, équidienne, élaphienne,* etc., auxquelles on a voulu, bien à tort, faire jouer un rôle chronologique, désignations qui n'ont qu'une valeur régionale, pour la plupart, et qui montrent qu'en dépit des théories généralisatrices, les chercheurs, en contact avec la réalité, ont tous une tendance à partager ces industries suivant les lieux et les climats, et accordent au régionalisme préhistorique une très grande importance.

Après avoir fait l'exposé de tout ce que nous connaissons des industries qui, dans nos pays, se sont développées aux temps quaternaires, il semble utile de résumer en un tableau les faits les plus importants relatifs à la vie de l'homme, au climat et à la faune. Nous empruntons les principales lignes de ce tableau à M. M. Boule.

Pliocène supérieur . —	Alluvions des plateaux . Moraines de la 1ʳᵉ grande extension glaciaire.	*Elephas meridionalis.* *Rhinoceros etruscus.* *Equus stenonis*, etc.		
	Couches de transition du Forest-bed, de Saint-Prest de Solihac.	CLIMAT TEMPÉRÉ.		Industrie éolithique (?)
Pleistocène inférieur.	Moraines de la IIᵉ grand	*Elephas antiquus, Rhinoceros Mercki, Hippopotame.*	Type chelléen prédomin	

—	e période glaciaire.	CLIMAT FROID ET HUMIDE.	ant	
	Alluvions des terrasses moyennes, tufs calcaires.	Époque de l'*Hippopotame*. CLIMAT DOUX.		
Moyen. —	Moraines de la IIIe grande époque glaciaire.	*Mammouth, rhinocéros à narines cloisonnées ours, hyène.* CLIMAT FROID ET HUMIDE.	Type acheuléen prédominant.	Industrie paléolithique
	Dépôts de remplissage des grottes, lœss, alluvions des bas niveaux ou des terrasses inférieures.	Époque du *Mammouth*.	Type moustiérien prédominant.	
Supérieur. —	Dépôt supérieur des grottes.	Époque du *Renne*, faune des steppes. CLIMAT FROID ET SEC.		Industrie archéolitique.

	Partie supérieure du lœss.			
	Couches de transition.	*Cervus elaphus, Castor.*		Industrie mésolithique
Actuel. —	Alluvions récentes, tourbières.	Espèces actuelles, animaux domestiques. CLIMAT VOISIN DE L' ACTUEL.		Industrie néolithique: les métaux.

Fig. 25. — Stations préhistoriques du désert entre la vallée du Nil et les oasis Relevé de G. Legrain en 1897.

On ne saurait trop insister sur ce fait que ce tableau n'est applicable qu'aux pays occidentaux de l'Europe, tant par les phénomènes glaciaires qu'il indique que par les climats, les faunes et les industries qui en sont la conséquence; bien des régions n'ont pas connu les effets de la période glaciaire, d'autres n'ont été affectés que par une grande recrudescence de l'humidité atmosphérique: il en est résulté dans leurs faunes des modifications tout autres que celles qui ont eu lieu dans nos régions du Nord, et en conséquence la vie de l'homme y a suivi un cours tout différent. C'est ainsi que les habitants de l'Égypte semblent être passés directement de l'industrie paléolithique au néolithique, peut-être même à l'énéolithique, et qu'il paraît en être de même pour la Mésopotamie. Toutefois nous ne sommes pas autorisés à nier d'une manière absolue l'existence des industries archéolithiques dans quelques parties de ces pays orientaux, en nous basant sur ce que nous n'en avons pas encore rencontré de traces. Il est certain qu'à la suite des grandes inondations quaternaires ces régions sont demeurées longtemps désertes: l'apparition soudaine de l'industrie énéolithique dans la vallée du Nil et dans la Chaldée viendrait à l'appui de cette dernière hypothèse. Dans les déserts égyptien (*fig. 25*), arabe et syrien, les instruments paléolithiques sont extrêmement nombreux. La population a donc été relativement fort dense dans ce pays; puis, nous l'avons vu, survient un hiatus comprenant tout ce qui, dans l'Europe occidentale, correspond aux industries archéolithiques et mésolithiques. On pourrait alléguer que cette lacune n'est qu'apparente, qu'elle n'est due qu'à l'insuffisance de nos recherches. Je ne le pense pas, étant données les immensités dans lesquelles ne paraît aucune forme d'instrument qu'on puisse rattacher aux industries archéolithiques.

CHAPITRE III

LES INDUSTRIES MÉSOLITHIQUES

Les palethnologues ont coutume de ranger, dans la phase industrielle néolithique, des cultures très différentes de celles que nous venons d'examiner et qu'ils considèrent comme formant la transition entre les industries de la pierre éclatée et l'outil en pierre polie. D'une part on trouve, dans les mobiliers appartenant à ces groupes, beaucoup d'instruments qui leur sont communs avec ceux des Magdaléniens et, d'autre part, apparaissent des formes nouvelles ne comprenant pas celles de la pierre polie. En 1909 j'ai proposé pour ces industries intermédiaires le nom de *Mésolithiques*.

«En réalité, dit J. Déchelette dans son *Manuel*, l'ancienne technique, celle de la taille du silex, subsista parallèlement aux procédés nouveaux. Plusieurs types d'outils, lames simples, lames à encoches, grattoirs, perçoirs, etc., types qui forment le fond des outillages en silex de tous les temps et de toutes les latitudes, demeurent en usage, subissant parfois de légères modifications. Des outils nouveaux, taillés de même par percussion ou par pression, apparaissent à côté des types anciens.»

Dans nos pays, à cette époque, les conditions de la vie s'étaient modifiées: au froid sec des temps magdaléniens a succédé tout d'abord un climat tempéré, humide, les glaciers se cantonnant peu à peu dans les régions qu'ils occupent aujourd'hui. La faune actuelle s'établit alors, le renne se retira dans les régions boréales et les pachydermes disparurent, alors qu'ils avaient survécu aux froids intenses des derniers temps quaternaires, et que, cependant, les conditions étaient devenues pour eux en Gaule plus favorables que par le passé.

Cette disparition, coïncidant avec l'abandon des arts, si développés chez les Magdaléniens, laissent à penser qu'en dépit des raisonnements et des conclusions de la plupart des préhistoriens, il existe une lacune dans nos connaissances, hiatus dont l'existence ne peut être niée. Les phénomènes qui ont pris place à cette époque et qui ont causé cet hiatus étaient assurément d'ordre naturel, sans quoi le mammouth, le bison et bien d'autres animaux encore ne se seraient pas subitement éteints. Quant à la disparition des arts, elle est complète, ou, du moins, les timides tentatives des premiers temps des industries mésolithique et néolithique ne sont certainement pas une dégénérescence de l'art des cavernes: car elles ne se présentent pas inspirées par le même esprit.

À partir du début des industries mésolithiques, on constate une beaucoup plus grande variété de cultures que dans les temps quaternaires. C'est qu'au grand nombre de régions climatériques correspondent des besoins spéciaux, et que l'esprit humain s'étant ouvert, il en résulte des groupements plus intimes que par le passé, un grand développement des goûts et des tendances régionales. Quant aux migrations auxquelles jadis on attribuait peut-être trop d'importance, mais qu'on semble nier par trop aussi aujourd'hui, elles ont assurément été pour beaucoup dans la transformation des civilisations de l'Europe occidentale. Sans les faire intervenir, on s'expliquerait malaisément que les tribus magdaléniennes, demeurées dans leur pays d'origine, aient dépéri au point de ne rien laisser de leur civilisation, au moment même où les conditions de leur existence devenaient plus favorables. Quoi qu'il en soit, les cavernes sont presque toutes délaissées à cette époque, bien qu'elles offrissent toujours d'excellents abris. Sans aucun doute ces transformations subites dans la vie résultent de causes profondes, et tout porte à croire qu'elles sont dues à l'intervention de peuples nouvellement venus dans nos pays.

Il ne faut pas oublier que la Sibérie qui, depuis les débuts de l'ère glaciaire, était sans communications avec l'Europe, séparée qu'elle en était par les glaciers des steppes russes et le lac aralo-caspien, venait de s'ouvrir sur l'ancien monde et que ses hordes, chassées de leur patrie par le froid s'ébranlaient pour venir, par vagues successives, envahir l'Europe, l'Iran, les Indes à la recherche de plus grandes facilités de la vie. Ces migrations d'Est en Ouest ont débuté de très bonne heure et se sont poursuivies presque jusqu'à nos jours, les flots succédant aux flots sans relâche. C'est dans ces mouvements qu'il faut chercher la cause du trouble que nous constatons dans la succession des industries occidentales, celle de l'apparition des brachycéphales, celle des langues du groupe aryen. Une grande révolution s'accomplit alors.

Industrie azilienne. — Parmi les rares découvertes capables de jeter quelque lumière sur les débuts des industries mésolithiques, il convient de citer en première ligne celles de Piette dans la grotte du mas d'Azil (Ariège).

Au-dessus de deux lits nettement caractérisés de l'industrie magdalénienne séparée de ces dépôts par une bande de limon fluvial jaune, se trouvaient les restes d'une culture à laquelle Piette a donné le nom d'*époque azilienne.* Là se trouvaient des foyers, des amas de peroxyde de fer, de nombreux os de cerf, aucun de renne, des silex taillés du type magdalénien, en grande abondance, petits racloirs arrondis, outils en «lame de canif», des harpons aplatis et perforés en bois de cerf, des poinçons et lissoirs en os, des os brisés constatant la présence dans la région du cerf commun, du chevreuil, de l'ours, du sanglier, du castor, du blaireau, du chat sauvage, etc... Piette rencontra de nombreux galets de schiste portant des marques tracées à l'ocre rouge. Ce dernier fait, bien que très étonnant, se trouve confirmé par des découvertes analogues dans d'autres cavernes, entre autres dans celles de Cousade, près de Narbonne, et de la Tourasse.

Dans cette même couche étaient deux squelettes dont nous aurons à parler plus loin, au sujet des usages funéraires.

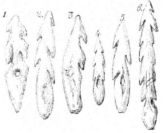

Fig. 26. — Harpons en os et en bois de cerf. — 1-3, Mas d'Azil. — 2-4, Grotte de la Tourasse (H^{te}-Garonne). — 5-6, Grotte de Reilhac (Lot).

Au-dessus de la couche azilienne, l'explorateur a rencontré un dernier niveau archéologique renfermant, entre autres instruments, des outils en pierre polie. L'industrie azilienne est donc intermédiaire entre celle des Magdaléniens et la culture néolithique.

Ce n'est pas seulement au mas d'Azil qu'on rencontre les restes de cette industrie; bien des grottes de l'Ariège, de la Haute-Garonne, en contiennent, et si l'on s'en rapporte à la forme des harpons, on retrouve cette même forme dans la Dordogne, et même en Écosse, dans la caverne d'Oban (Argyllshire); mais il serait téméraire d'établir des similitudes reposant seulement sur la forme d'un instrument.

Industrie tourassienne. — Parmi les industries mésolithiques, il convient de citer, en passant, l'industrie nommée *tourassienne*, par G. de Mortillet, que ce savant archéologue considérait comme l'étape marquant la dégénérescence et l'extinction de l'industrie quaternaire. Il y voyait une époque spéciale dont il croyait retrouver les traces dans toute l'Europe, dans le bassin méditerranéen et jusqu'aux Indes. En réalité, cette industrie ne semble pas correspondre à une culture particulière, mais bien à des besoins spéciaux, mal définis encore, communs à une foule de pays, probablement à des époques diverses, comprenant, semble-t-il, la fin des industries mésolithiques et le commencement de celles de la pierre polie.

Industrie des kjœkkenmœddings danois. — Les kjœkkenmœddings, ou débris de cuisine, sont des buttes de détritus laissés par le populations à proximité de leurs habitations, parfois sur le site même de leur campement. Ces buttes sont de tous les temps et de tous les lieux; en Europe occidentale et septentrionale, au Japon, au Brésil, au Chili, en Patagonie, dans l'Amérique du Nord, on les rencontre sur les côtes; en Égypte ils sont situés dans le désert, à quelques centaines de pas de la zone qu'atteint le Nil dans ses crues. Envisagés dans leur acception la plus large, ces restes de campements appartiennent à toutes les époques, même aux temps modernes.

En Danemark, les kjœkkenmœddings renferment les restes de la plus ancienne civilisation de la pierre connue dans les régions scandinaves. Ces buttes se sont formées aussitôt que, le pays étant débarrassé de glaces, l'homme en a pu prendre possession. Elles sont, en général, larges de cinq à six mètres, hautes de deux ou trois et leur longueur varie entre vingt et quatre cents mètres; elles se composent d'un amas de coquilles et d'os, restes des produits de la chasse et de la pêche, renferment des silex taillés d'un type spécial, racloirs, tranchets, nuclei, couteaux, perçoirs, etc., des os, des bois de cerf travaillés, et des fragments de poterie grossière. La hache polie fait complètement défaut dans ces gisements qu'on juge être synchroniques de nos campements campigniens du nord de la France. Dans ces buttes on trouve fréquemment les foyers d'antan, encore en place, et parfois les squelettes des hommes qui habitaient ces villages, formés probablement de huttes de branchages recouvertes de mottes de terre et alignées en une longue file sur le côté.

Industrie campignienne.—Cette industrie, localisée au nord de la Gaule, semble avoir, dans cette région, immédiatement précédé l'industrie néolithique; son outillage se compose de racloirs, couteaux, lames à encoches, perçoirs, des temps précédents, auxquels viennent s'ajouter les tranchets, en grand nombre, et les pics.

Les stations de cette industrie se rencontrent principalement dans les départements de la Somme et de la Seine-Inférieure, sous forme de fonds de cabanes où, parmi les cendres, sur une hauteur de 0 m. 60 à 0 m. 80 et une largeur de 3 à 6 mètres se trouvent les foyers et les objets divers les accompagnant: silex taillés, éclats, fragments de poterie généralement grossière, mais dont quelques-uns sont parés d'ornements géométriques gravés à la pointe dans la pâte molle, meules à bras et molettes. On rencontre très rarement dans ces fonds de cabanes la hache polie; toutefois la présence de cet instrument dans cette industrie est encore discutée. Les têtes de flèches lancéolées ou barbelées, si abondantes dans l'outillage néolithique, font complètement défaut.

C'est en 1872 qu'a été découverte par Eugène de Morgan la station du Campigny, près de Blangy-sur-Bresles (Seine-Inférieure), et en 1886 Ph. Salmon proposa de créer une «époque campignienne».

Bien que beaucoup d'autres campements de cette nature aient été reconnus en ces dernières années, les opinions sont encore partagées au sujet de cette industrie qui n'a pas été rencontrée jusqu'ici en gisements stratifiés, superposés à des industries plus anciennes, ou supportant d'autres plus récentes. «Ces stations, très pauvres en haches polies, disait G. de Mortillet, ont un cachet tout particulier; elles pourraient bien représenter, en France, le commencement de l'époque néolithique.»

Les industries mésolithiques, très nombreuses, assurément, ont été jusqu'à ce jour fort mal étudiées, aussi bien dans notre pays qu'à l'étranger; la raison en est que les gisements sont toujours isolés, sans relations stratigraphiques avec les autres industries, que les sépultures néolithiques sont le plus souvent des ossuaires où se mélangent squelettes et mobiliers des époques diverses; dès lors on ne peut savoir si déjà elles étaient en usage aux temps de l'industrie mésolithique enfin que les types appartenant à ces industries qui se trouvent dans les collections ont été, la plupart du temps, ramassés à la surface du sol. Peut-être convient-il de ranger dans les industries mésolithiques certains types de l'Afrique du Nord et de la Syrie. Tout ce qu'il est possible d'affirmer à leur égard est qu'elles ne renferment plus que très rarement des formes spéciales archéologiques, et que la pierre polie ne se montre pas communément dans leurs gisements.

J'ai souvenir d'avoir, moi-même, en 1873, trouvé dans un fond de hutte au Campigny, une hache néolithique en silex, polie et retaillée, au tranchant, mais non repolie. Cette observation permettrait de supposer que l'industrie campignienne aurait existé dans le nord de la France, alors que le néolithique avait déjà pris son essor dans d'autres régions, peut-être peu lointaines, et que les haches polies, très rares, qu'on rencontre parfois dans les mobiliers campigniens parvenaient par le commerce en Picardie. On peut opposer cependant à cette découverte l'opinion que les villages campigniens n'ont pas cessé d'être habités lors de l'apparition dans le pays de l'industrie néolithique et que, par suite, la présence de haches polies dans les fonds de cabanes peut être due à l'occupation postérieure du village par des hommes connaissant le polissage du silex.

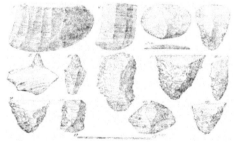

Fig. 27. — Silex taillés campigniens (Le Campigny, Seine-Inférieure).

CHAPITRE IV

LES INDUSTRIES NÉOLITHIQUES

Avec l'industrie néolithique, nous voyons, dans le monde entier, surgir des innovations sans nombre; il apparaît clairement que cette phase du développement de l'intelligence humaine fut celle qui ouvrit au progrès ses véritables voies. Le polissage des matières dures qui, nous l'avons vu, était appliqué à l'os et à l'ivoire, dès le pleistocène, dans les industries solutréenne et magdalénienne, est alors général; il devient d'usage pour aiguiser les roches les plus dures, le silex, le jade, la diorite, la syénite, etc., et leur donner une forme reconnue pour être la mieux adaptée à la destination des instruments. L'homme, toujours chasseur et guerrier, façonne les pointes de ses flèches de mille manières; mais le plus souvent, il s'inspire du harpon d'antan, et les munit de barbelures (*fig. 28*). Il ne se contente plus des peaux de bêtes pour se vêtir, mais tisse la laine et les fibres des plantes, perfectionne ses arts céramiques, asservit les animaux à ses volontés, élève le bétail, se construit des demeures sur terre et sur les eaux, creuse des pirogues, enfin cultive les céréales. Les portes sont grandes ouvertes pour qu'il entre véritablement dans le progrès; il lui suffira de développer ses connaissances, d'améliorer ses moyens de fabrication et, le jour où paraîtra le métal, il sera définitivement sorti de la barbarie.

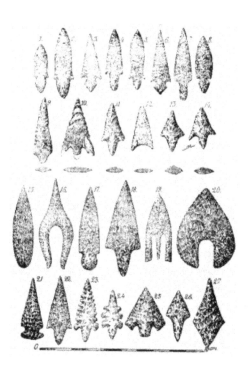

Fig. 28.—Pointes de flèche.—1-8, Abydos (Coll. de l'auteur, don au Musée de St-Germain).—9-14, Ouargla (récolte Pézard).—15. Suse (Musée de St-Germain).—16, Alcala (Portugal).—17, Gironde (S.-G.).—18, Aveyron (S.-G.).—19, Dolmen de Gourillach (Finistère).—20, Fayoum.—21, Californie (obsidienne).—22, Aveyron.—23, (id.).—24, Finistère.—25, Loir-et-Cher.—26, Abruzzes (Italie).—27, Aube.

En même temps qu'il améliore sa vie, sa pensée se développe, il cherche le pourquoi des choses et, de ses méditations en présence des phénomènes de la nature, des incidents de l'existence, s'affirment des idées religieuses ou superstitieuses, ses sépultures témoignent d'une croyance à la seconde vie, l'architecture commence avec les pierres levées et les dolmens, les allées couvertes. L'ouvrier devient mineur, va chercher dans le sein de la terre de belles matières afin d'en faire ses outils et ses armes, il creuse le sol, attaque les bancs géologiques, et cette matière première, ce silex devient un objet de commerce très étendu, parce qu'il manque dans bien des régions. De vastes ateliers se créent pour alimenter l'exportation de la pierre taillée. Les beaux silex de Spiennes et du Grand Pressigny vont jusqu'en Suisse et l'ambre arrive en Gaule de pays lointains. Enfin l'homme protège ses agglomérations au moyen d'enceintes fortifiées, s'établit dans des Acropoles.

Les arts glyptiques, disparus avec les Magdaléniens, leurs auteurs, sont remplacés par de grossières représentations de l'homme lui-même, de ses armes, et par des ornements géométriques indignes de la perfection qu'atteint la taille de la pierre. En Égypte, en Scandinavie, grâce à l'abondance et à la belle qualité du silex dans ces pays, cette pierre se transforme en véritables œuvres d'art, sous forme de couteaux, de poignards, de têtes de javelots et de lances, de pointes de flèches, et les ouvriers deviennent si habiles qu'ils taillent même des bracelets légers et minces comme s'ils étaient faits de métal. Dans la vallée du Nil, dans les pays élamites, en Syrie, en Crète, dans l'Hellade d'aujourd'hui, la poterie peinte se montre, semblant n'être que la descendance d'arts plus anciens, dont les origines sont encore mystérieuses.

Mais, suivant les régions et suivant les peuples qui les habitent, il s'établit une foule de foyers de la culture néolithique, chacun possédant ses qualités propres, ses caractéristiques. Les types des instruments diffèrent d'un pays à un autre, au point que, pour un ethnologue accoutumé à manier les silex travaillés, il est aisé de distinguer, à première vue, la provenance de chacun d'eux.

La multiplicité des foyers néolithiques ne fait aucun doute; mais il nous serait impossible de fixer la position géographique d'un seul d'entre eux et, bien certainement aussi, ces divers centres ont souvent réagi les uns sur les autres. Les peuples, dans le monde entier, étaient, après les temps quaternaires, fort mélangés; aussi leurs industries s'enchevêtrent-elles d'une manière désespérante pour celui qui s'efforce de trouver les origines même d'un seul des groupes humains.

La propagation de l'ambre, matière nordique, jusque dans notre occident, montre combien étaient étendues les relations d'alors, et bien des preuves viennent nous convaincre que dans ces temps encore de grands mouvements de peuples vinrent, à bien des reprises, changer la face des choses en Europe. L'histoire légendaire nous entretient de quelques-uns de ces mouvements.

Si le milieu recevant était compliqué par le fait de migrations antérieures, le flot envahisseur ne l'était pas moins. Il y eut sûrement une multitude de mouvements qui, ne touchant que les voies naturelles, se recouvrirent, se croisèrent, laissant entre eux de vastes espaces indemnes de leur action directe. Il semble, en effet, certain que ce ne sont pas les mêmes hommes qui élevèrent les monuments mégalithiques, et qui bâtirent les villages lacustres; que les divers types de l'industrie néolithique, répondant à des tendances différentes, impliquent la diversité des origines ethniques. Et, côte à côte, on rencontrait alors, comme parfois encore de nos jours, des cultures très diverses comme développement. L'examen des diverses tribus Peaux-Rouges de l'Amérique méridionale en fournit aujourd'hui même de frappants exemples, et les colonies hollandaises de la Malaisie montrent pour le moins trois degrés d'avancement continuant à persister, quoique les trois classes d'hommes vivent côte à côte. Pour ne parler que de l'Occident européen, n'est-il pas concluant de constater qu'en France et en Angleterre la hache néolithique polie est arrondie sur les côtés, que dans les pays scandinaves et la Finlande, le nord de l'Allemagne, les îles de la mer Baltique, elle est taillée et polie carrément sur ses bords, que dans les palafittes son tranchant seul est poli, et qu'en Italie elle porte une large rainure?

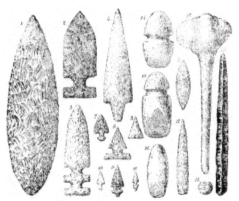

Fig. 29. — Armes et outils néolithiques de l'Amérique du Nord.

En se généralisant, le problème devient plus insoluble encore; car le monde entier, ou presque entier, a connu la hache en pierre polie, comme il a connu le coup de poing de type acheuléen: mais, alors que le coup de poing est à peu de chose près du même type dans toutes les régions, il n'en est pas de même pour la hache polie dont la forme varie à l'infini, tout en conservant les mêmes principes statiques.

De même que pour l'étude des industries quaternaires, celles relatives aux cultures néolithiques sont encore cantonnées dans les pays européens, asiatiques de l'Ouest et africains du Nord; car ce que nous savons du reste des vieux continents et du Nouveau Monde (*fig. 29*) est encore bien imprécis. En Amérique, toutes ces civilisations, si compliquées dans certaines régions, si primitives dans d'autres, toutes comprises sous la vague appellation de pré-colombiennes, ne nous sont connues ni par leur étendue géographique, ni par leur époque, alors que pour celles de l'Ancien Monde, nous commençons à voir plus clair non seulement dans leur étendue, mais aussi dans leur succession pour chaque région.

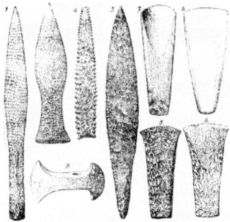

Fig. 30. —Outillage néolithique de la Scandinavie (Danemark et Scanie).

Dans les pays scandinaves (*fig. 30*), on constate aux débuts l'existence d'une industrie dans laquelle la hache est entièrement polie, ou polie seulement sur son tranchant; puis vient l'apparition de la hache percée, ou hache-marteau, dénotant une habileté consommée dans le travail de la pierre; enfin l'établissement d'une phase de transition répondant à l'apparition du métal (industrie énéolithique).

En Espagne, on distingue trois époques: une industrie locale, d'aspect archaïque, avec quelques objets polis, probablement importés, répondant à l'époque des kjœkkenmœddings portugais (industrie mésolithique?), mais non pas à celle de la civilisation analogue en Scandinavie; ensuite, le plein développement du travail de la pierre polie et de la poterie ornée, cette industrie rappelant beaucoup comme art et comme technique, celle des premières villes d'Hissarlik; enfin vient l'apogée de la taille du silex et le commencement des métaux (énéolithique).

En Suisse, l'industrie lacustre comprend trois périodes successives: tout d'abord celle des haches, petites, à peine polies, fabriquées en roches indigènes; les os sont alors travaillés d'une façon rudimentaire et la poterie, grossière, n'est pas ornée (*fig. 31*); puis vient l'industrie des haches plus grandes, simples ou perforées, de matière souvent étrangère à la Suisse; la poterie, moins grossière, est alors simplement ornée. Enfin paraissent les haches-marteaux perforées, qui abondent dans certaines stations; le travail de la pierre, de l'os, de la corne est dès lors à son apogée; on ne voit plus de roches étrangères, la poterie s'orne de plus en plus; le métal fait son apparition (énéolithique).

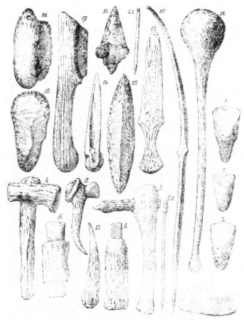

Fig. 31.—Outillage néolithique des Cités lacustres.

1, 2 et 3, Haches polies seulement au tranchant (lac de Neuchâtel) ($^1/_3$ G. N.).—4, Manche de hache (lac de Neuchâtel) ($^1/_3$ G. N.).—5, Hache emmanchée (lac de Neuchâtel) ($^1/_4$ G. N.).—6, *Id.*, lac de Chalins ($^1/_4$ G. N.),—7, Herminetie (lac de Bienne) ($^1/_4$ G. N.).—8, Ciseau, Latringeu (Suisse) ($^1/_2$ G. N.).—9, Hache-marteau (lac de Neuchâtel) ($^1/_3$ G. N.).—10, Arc (Robenhausen, Suisse) ($^1/_8$ G. N.).— 11, Pointe de flèche (lac de Neuchâtel). (G. N.).—12, Massue en bois d'if (Robenhausen) ($^1/_6$ G. N,).—13, Poignard en bois d'if (Robenhausen) ($^1/_2$ G. N.).—14, Poinçon en os (lac de Neuchâtel) ($^1/_2$ G. N.).—15, Poinçon en bois de cerf (lac de Chalins) ($^1/_2$ G. N.).—16, Scie montée en bois (Robenhausen) ($^2/_3$ G. N.).—17, *Id.* (lac de Moosseedorf) ($^2/_3$ G. N.).—18, Racloir en silex (lac de Neuchâtel) ($^2/_3$ G. N.).—19, Pointe en silex (lac de Neuchâtel) ($^2/_3$ G. N.).—20, Épingle en os (lac de Neuchâtel) ($^1/_3$ G. N.).—21, Aiguille en os (lac de Neuchâtel) ($^1/_3$ G. N.)

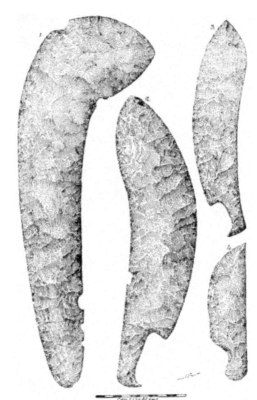

Fig. 32. — Couteaux de silex Messawiyeh (Haute-Égypte) (Fouilles Garstang).

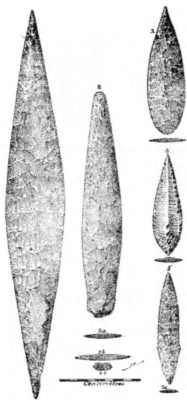

Fig. 33. — Pointes de silex de la Haute-Égypte

1 et 2, Adimiyeh (Rech. Henri de Morgan). — 3, 4 et 5, Négadah (Rech. Flinders Petrie).

En Italie, où l'on ne rencontre jamais de haches polies en silex, où toutes sont façonnées dans des roches dures, il semble que dans cette péninsule, deux courants néolithiques se soient réunis: l'un venant du Jura et de la Suisse, qui, traversant les Alpes, serait descendu dans la vallée du Pô et du Tessin, sans dépasser le Pô; l'autre arrivant du bassin du Danube, par l'Istrie, l'Émilie et la Vénétie, se serait avancé, en longeant les côtes adriatiques, jusque dans l'Apulie.

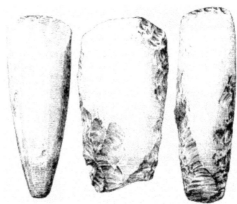

Fig. 34. — Haches en pierre polie. Tépéh Goulam (Poucht é Kouh et Louristan).

Pour la France, le sud de l'Angleterre et la Belgique, il semble que nous devons adopter trois divisions: tout d'abord une industrie très voisine du Campignien, mais possédant la hache polie et la tête de flèche caractéristique du néolithique; ensuite celle de la hache-marteau, correspondant à l'introduction des roches étrangères et à l'apogée dans la taille du silex; enfin l'emploi du métal concurremment avec l'industrie précédente; la poterie s'améliorant au cours de ces trois phases.

Fig. 35. — Hache-marteau en serpentine — Chaldée. (Coll. de l'auteur, Musée de St-Germain).

En Égypte (*fig. 32* et *Fig. 33*), il n'y aurait eu que deux phases, celle de la hache polie du type européen, dans laquelle le silex fait seul tous les frais de l'outillage, et la période énéolithique dans laquelle le travail du silex atteint son apogée. Alors se trouve en même temps l'emploi des roches dures et du métal; la poterie ornée de peintures à l'ocre rouge atteint sa plus grande perfection. Nous verrons plus loin que l'usage du métal dans la vallée du Nil et les arts semblent être venus de l'Asie.

En Élam (*fig. 34*) et dans la Chaldée (*fig. 35* et *36*), on rencontre également deux phases, celle de la hache polie du type européen, quoique plus plate, et l'industrie énéolithique, avec son admirable céramique peinte déjà très stylisée, ses instruments variés, ses haches-marteaux, ses pointes du type solutréen et ses armes et ustensiles métalliques très primitifs.

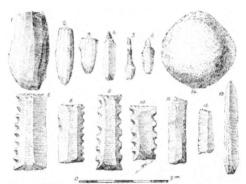

Fig. 36. — Instruments de silex. — Yokha (Chaldée). Coll. de l'auteur (Musée de St-Germain).

Le Sahara et la Tunisie (*fig. 37*) montrent une industrie qui offre beaucoup d'analogie avec celle de l'Égypte, mais on n'y rencontre pas ces grandes lames merveilleusement ouvrées de la vallée du Nil. L'industrie de la Palestine est plus proche parente de celle de l'Égypte (*fig. 38*) que celle du Nord de l'Afrique.

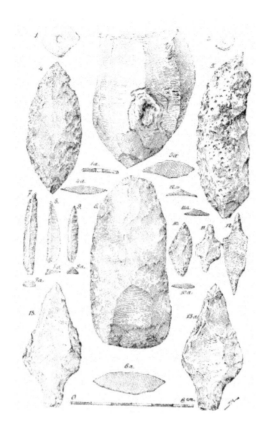

Fig. 37.—Néolithique du Sahara (Rech. Pézard) (environs de
Ouargla). 1 et 3, Coquille d'œuf d'autruche.—2, Silex blond
opaque.—4, Silex brun veiné de noir.—5, Silex gris, patine
blanche.—6, Silex blond opaque.—7 à 9, Silex jaune translucide.—10,
Silex blond opaque.—11, Silex opalin translucide.—12, Silex jaune.—
13, Silex opalin translucide.

Fig. 38. — Instruments néolithiques, de la Palestine.
1-3, Sour Baher (Jérusalem). — 4-5, Vallée d'Hesban (d'ap.
Vincent.)

Là, à peu de chose près, se bornent nos connaissances quant à la division des industries néolithiques dans les pays explorés jusqu'à ce jour. Comme on le voit, l'évolution de chaque pays a été indépendante dans ses grandes lignes; mais aussi les différences constatées sont souvent dues à des influences étrangères.

Quant à l'âge que l'on peut assigner à l'industrie néolithique, il est naturellement variable suivant les pays. O. Montelius, s'appuyant sur la stratigraphie du Tell de Suse et sur les observations de même ordre faites en Égypte, accorde vingt mille ans à l'apparition de la hache polie en Élam et dans la vallée du Nil. Cette estimation est beaucoup trop élevée, car elle accorderait douze mille ans environ à la durée de la phase néolithique pure dans ces deux pays, et l'importance des restes laissés par cette industrie, en Égypte comme en Susiane, ne légitime aucunement cette appréciation. Toutefois nous devons avouer que nous ne possédons pas de base pour fixer chronologiquement les débuts de cette culture dans aucun pays. Par suite, toute appréciation à cet égard ne peut être que du domaine de l'imagination.

En ce qui concerne la limite inférieure, nous sommes moins mal renseignés, parce que nous approchons des temps historiques. En Chaldée, c'est vers la fin du sixième millénaire avant notre ère, que le métal serait venu mettre fin à l'industrie néolithique dans cette région, si toutefois elle a jamais existé, ce que je considère comme très peu probable, et il en aurait été, à peu de chose près, de même en Égypte; tandis que c'est, au plus tôt, au XXXe siècle, que serait née la civilisation égéenne, et que la Scandinavie n'aurait connu le bronze qu'au XVIII^{e}ou XXIIe siècle avant J.-C. En Gaule, en Suisse et dans les pays limitrophes, c'est vers le XXVe siècle que se serait passée cette évolution; alors que la Finlande aurait, vers le Ve, ou même le IIIe siècle avant le Christ remplacé ses armes de pierre par des instruments de fer, sans passer par l'intermédiaire presque général du cuivre et du bronze, et que bien des tribus de la Polynésie et d'autres régions, découvertes par les Européens dans les temps modernes, auraient attendu jusqu'au XVIIIe siècle ou au XIXe siècle après J.-C. pour mettre de côté la hache de pierre et prendre l'arme à feu. Nous avons vu précédemment que la Basse-Chaldée semble n'avoir jamais connu l'homme en possession de l'industrie néolithique proprement dite; qu'au moment où elle s'est peuplée, et que déjà les habitants des montagnes qui la bordent au nord-est et au nord connaissaient le cuivre.

Dans une semblable étude, n'ayant en vue que l'exposé d'ensemble des progrès de l'humanité, il serait hors de propos d'entrer dans la description des innombrables industries néolithiques des régions diverses; nous donnons en figures les principaux types de quelques-unes d'entre elles, et le lecteur jugera par lui-même des caractéristiques. Nous ferons cependant remarquer qu'aucun pays n'a jamais atteint la perfection de l'Égypte et des pays scandinaves dans l'art de tailler la pierre, et les ouvriers de la vallée du Nil dépassaient de beaucoup en habileté ceux du Danemark et du sud de la Suède. Toutefois, dans l'une comme dans l'autre de ces deux régions, il est fort possible qu'à l'époque de la fabrication de ces admirables instruments, tant en Scandinavie qu'en Orient, le cuivre ait été déjà connu, bien qu'on ne le rencontre pas en Danemark et qu'en Égypte on trouve les mêmes silex taillés avec et sans le métal.

Toutefois, avant d'en terminer avec les industries néolithiques, nous montrerons, en citant un certain nombre de formes de haches polies, combien sont variables ces instruments (*fig. 38*).

Les types n° 1 et n° 2, très répandus en Europe, se rencontrent aussi en Asie antérieure et aux Indes, entre autres pays, alors que la forme n° 5, avec ses flancs carrés, caractéristique des pays scandinaves, du nord de l'Allemagne et de la Finlande, se trouve aussi, quoique plus exceptionnellement, dans nos pays occidentaux. La forme n° 6, en pierre dure, syénite, diorite, etc., est universelle; le type n° 7 est rare en Occident, de même que les formes n°s 8 et 9, n° 10 et 18 se rencontrent en Élam et en Chaldée, caractérisées par ce fait que l'instrument est plus plat, moins renflé que dans nos pays. Le type n° 12, qui est rare en Europe, se rencontre aux Antilles, alors que le n° 13, très spécial, semble être particulier à l'Indo-Chine. Les n°s 15 et 16 sont abondants aux États-Unis, mais on les connaît aussi de l'Europe et de l'Asie. Les mines de sel de Koulpi, dans la Transcaucasie, ont fourni quelques-uns de ces instruments.

Le type n° 17 semble être spécial à l'Élymaïde et celui n° 19 à l'Égypte; on connaît des instruments métalliques présentant ces formas; mais l'outil de métal a-t-il été copié sur celui de silex ou bien est-ce l'inverse qui a eu lieu? Nous ne saurions en décider. Puis vient la hache (ou tranchet) plate sur une face, très spéciale à la vallée du Nil, bien qu'elle soit inspirée du même principe que le tranchet campignien.

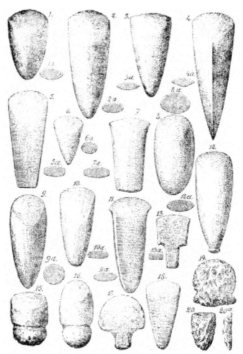

Fig. 39. — Diverses formes de haches néolithiques.

1, France et tout l'Occident de l'Europe. — 2, *Id.* type le plus fréquent. — 3, Jadéite (Seine-et-Marne). — 4, *Id.* (Bretagne). — 5, Type le plus fréquent en Scandinavie, en Finlande, dans le nord de l'Allemagne; existe aussi dans l'Occident européen. — 6, Extension universelle. — 7, Occident européen, rare. — 8, *Id.* rare. — 9, *Id.* rare. — 10, Susiane et Chaldée, type plat arrondi sur les côtés — 11, Jadéite (Gers). — 12, Antilles. — 13, Cambodge. — 15, États-Unis. — 16,*Id.* Asie intérieure, — 17, Susiane. — 18, *Id.* type très plat. — 19, Égypte. — 20, type plat d'un côté.

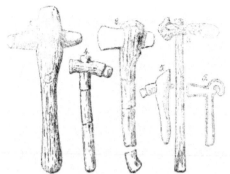

Fig. 40. — Emmanchement des haches de pierre polie.

1, La Lance (Musée de Sᵗ-Germain. don de l'auteur). — 2. Seeland (Danemark). — 3, Clairvaux (Jura). — 4, Baie de Penhouët (Loire-Inf^re). — 5, La Lance (Suisse). — 6, Gavr'inis (Morbihan).

Enfin les nᵒˢ 3, 4 et 11 figurent des instruments de jadéite, matière considérée jadis comme ayant été exportée en Gaule de pays très éloignés (de Sibérie?), mais regardée aujourd'hui comme indigène de nos pays.

La hache polie était emmanchée, nous en possédons de nombreux exemplaires munis de leur manche (*fig. 40*, nᵒˢ 1 à 5) et, dans les sculptures contemporaines de l'industrie néolithique, nous les voyons figurer (*fig. 40*, n° 6). Le plus souvent, la hache pénétrait dans un morceau scié et creusé de bois de cerf et ce bois de cerf lui-même, le plus souvent, était fixé en travers d'un manche de bois. Quant aux instruments munis d'une rainure, ils étaient emmanchés directement dans le bois. Les outils tels que scies, gouges, tranchets, racloirs, burins, étaient très fréquemment emmanchés soit dans du bois, soit dans de la corne ou de l'os.

Parmi les armes les plus fréquentes, et en même temps les plus variées de l'industrie néolithique, il faut citer les pointes de flèches qui, dans la plupart des stations, se rencontrent en très grand nombre, en tous pays du monde. La variété des formes est infinie, et encore ne possédons-nous que les têtes de flèches en silex et quelques-unes en os; celles faites en bois, en corne, en arêtes de poissons ont disparu.

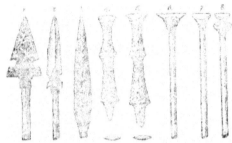

Fig. 41. — Emmanchement des pointes de flèches en silex.

1, Californie, d'après A. de Mortillet. — 2, Hélouan (Basse-Égypte). — 3, Abydos. — 4 et 5, Abydos (d'après Flinder Petrie). — 7 et 8, Flèches à tranchant de la période égyptienne historique. (Coll. de l'auteur. — Musée de St-Germain).

L'emmanchement de ces pointes de flèches (*fig. 41*), lui-même, était très varié; nous en possédons quelques spécimens soit antiques, soit parmi les collections ethnographiques de nos musées.

On remarquera que la tête de flèche tranchante, en usage chez les Égyptiens aux temps historiques (*fig. 41*, n°s 6, 7 et 8) (Moyen Empire), était déjà employée par les contemporains de la première dynastie (*fig. 40*. n°s 4 et 5), qui avaient fait de cette arme une véritable œuvre d'art. Mais, à côté de ces belles têtes de flèches, il en était certainement d'autres, composées d'un simple éclat sans retouches, dont nous rencontrons sans doute de nombreux spécimens sans comprendre leur usage. Et il en est sûrement de même pour une foule d'instruments appartenant à toutes les industries de la pierre, quelque peu retouchés ou même sans retouches, dont l'emploi demeure inconnu.

Ainsi les formes néolithiques varient à l'infini et se partagent en une foule de districts, en époques très variées. Il est de ces industries qui sont fort anciennes, il en est d'autres qui sont nos contemporaines, mais, quel que soit leur âge, quelque soit leur pays, toutes reflètent les mêmes pensées, chez les ouvriers qui les taillaient; et, par suite des exigences de la matière, toutes présentent un air de parenté, bien que dans la plupart des cas ces diverses industries soient absolument indépendantes les unes des autres.

CHAPITRE V

LES INDUSTRIES ÉNÉOLITHIQUES

Les archéologues italiens ont donné ce nom à la phase industrielle dans laquelle, aux instruments néolithiques, se joignent quelques objets métalliques. Cette phase caractérise la transition entre l'usage de la pierre taillée et celle du bronze. Elle ne connaît pas les alliages, mais seulement deux métaux, le cuivre et l'or, existant à l'état natif dans tous les pays du monde.

Il ne faut pas cependant comprendre dans l'industrie énéolithique les instruments de cuivre simplement forgés, tels ceux des Indiens de l'Amérique du Nord; ces objets appartiennent à la culture néolithique, le métal n'ayant pas été fondu, mais jouant seulement le rôle de minéral malléable. Par phase énéolithique on entend donc celle résultant des premiers pas de la métallurgie.

Les instruments de cuivre pur ont été en usage plus ou moins longtemps dans presque tous les pays: on en rencontre dans l'Europe entière, en Asie jusqu'aux Indes et, peut-être, plus loin encore vers l'Orient, mais ils semblent faire défaut au Japon, dans toute l'Afrique, sauf l'Égypte, et naturellement en Océanie, région dans laquelle la pierre taillée était encore en usage de nos temps.

Le cuivre a-t-il été découvert en un seul pays d'où sa connaissance aurait rayonné sur les autres régions, ou les foyers de sa découverte sont-ils multiples? C'est ce que nous ne saurions dire d'une manière certaine; cependant, comme on le rencontre à la base de toutes les civilisations, il est à croire que c'est dans les pays des plus anciennes cultures que se sont formés les foyers, peut-être secondaires, mais d'où cependant la précieuse découverte se serait répandue de par le monde.

Or ces pays à culture très ancienne sont fort peu nombreux. Seules la Chaldée, la Susiane, l'Égypte et les îles Égéennes peuvent entrer en ligne de compte par leur antiquité.

Cette antiquité, en ces dernières années, a été rajeunie de mille ans par les savants allemands qui se refusent à reconnaître la vieille chronologie de Nabonid, et cette thèse a été acceptée en France par bon nombre d'archéologues. Mais cette nouvelle théorie, que d'ailleurs on tend maintenant à abandonner, ne laissant pas à la civilisation orientale le temps nécessaire à son développement et aux dynasties celui de s'étendre sans chevaucher par trop les unes sur les autres, nous conserverons les anciennes évaluations chronologiques.

Fig. 42.
Ivoire. Tombe du roi Qa (1re dynastie). — Flinders
Petrie, *The Royal Tombs*, 1900.
Part I, pl. XII, fig. 12, 13.

Dans ces conditions, c'est dans la seconde moitié du cinquième millénaire avant notre ère que serait née la culture pharaonique. Toutefois le problème se pose de savoir si cette culture est indigène ou bien si elle provient d'influences étrangères. Nous allons montrer comment, de très bonne heure, aux temps de l'industrie néolithique en Égypte, la vallée du Nil a été soumise à des influences asiatiques, probablement même occupée pour un temps par des populations venues des régions mésopotamiennes, et que ces conquérants auraient apporté dans ce pays la connaissance du cuivre. Nous verrons plus loin que c'est également à cette époque que paraissent avoir débuté les arts céramiques chez les Pré-Égyptiens.

Fig. 43. — Représentation de l'homme au début de l'époque
pharaonique (D'après Flinders Petrie, *Royal Tombs*, 1901).

Dans la tombe du roi Qa, de la Ire Dynastie, Fl. Petrie a découvert
une plaque d'ivoire représentant un captif de type asiatique (*fig. 42*),
bien que l'auteur le pense être libyen. D'autres figurations de la
même époque (*fig. 43*) montrent que déjà les artistes tenaient grand
compte des caractères ethniques dans leurs représentations.
Ailleurs, sur une plaque de schiste du Musée britannique (*fig. 44*),
on voit en haut à droite un personnage vêtu d'une longue robe de
caractère asiatique, qui pousse devant lui un captif nu, alors qu'à
gauche un autre personnage nu s'enfuit; dans le champ on voit des
carnassiers et des rapaces dévorant les cadavres à la suite d'une
bataille. Les vaincus sont des Africains, ils portent la barbe à
l'égyptienne et ont les cheveux crépus; il est à croire qu'en ces temps
primitifs la race qui peuplait les bords du Nil n'était pas de type
pharaonique, et que, s'il existait des hommes aux cheveux lisses, ils
étaient cantonnés vers le nord, dans le delta en formation.

Fig. 44. — Palette de schiste archaïque égyptienne
(Musée britannique).

Ces documents, et il en existe beaucoup d'autres, montrent, à n'en
pas douter, que l'Égypte, vers l'époque de sa première dynastie,
plutôt avant qu'après, a été le théâtre d'une lutte entre deux peuples

de races distinctes, et renseignent sur la nature et l'origine des envahisseurs.

Il en est de même quand on compare les *fig.* 45 et 46, dans lesquelles nous avons groupé les principales formes industrielles et artistiques communes à l'Égypte anté-pharaonique, à la Chaldée et à l'Élam. On conviendra que les analogies sont telles qu'on ne peut nier l'influence de l'une des civilisations sur l'autre. Or la présence de la divinité asiatique en Égypte (nos 2, 3, 5, 6, 27, 33) et du cylindre-cachet qui, comme on le sait, est d'origine chaldéenne, ne peut laisser de doutes au sujet du foyer d'où serait partie la culture qui se transforma plus tard en civilisation pharaonique.

Fig. 45. — Principaux objets archaïques égyptiens.

Il est donc à penser que c'est de la Chaldée que vint en Égypte et sur les côtes asiatiques de la Méditerranée, la connaissance du cuivre (*fig. 47*). Mais cette déduction ne nous avance pas quant au pays d'origine de la découverte de ce métal (*fig. 48*): car nous n'avons jamais rencontré dans la Chaldée comme dans l'Élam, comme sur le plateau iranien (*fig. 49*), de traces certaines de l'industrie néolithique pure et nous savons, par l'étude de la formation du delta des fleuves chaldéens, que ces parages n'ont été que relativement tard aptes à recevoir l'homme. Ce n'est donc pas en Chaldée, ni dans l'Iran qu'ont eu lieu les premiers essais métallurgiques. Il n'en demeure pas moins que, suivant toute vraisemblance, bien que nous ne connaissions pas encore le point initial de la métallurgie, l'Asie Antérieure a été pour le moins l'un des principaux foyers secondaires propagateurs de la connaissance du métal.

Des côtes méditerranéenes et de l'Asie centrale les types principaux de l'outillage en cuivre se seraient répandus dans les îles méditerranéenes en premier lieu, puis dans l'Europe occidentale, peut-être même centrale et nordique, se modifiant suivant les innombrables cultures néolithiques dans lesquelles ils pénétraient, mais conservant leurs caractères principaux, ceux de la hache plate et du poignard triangulaire; et si quelques rares objets égyptiens, phéniciens ou égéens sont parvenus jusqu'aux confins de l'Europe, ce ne fut jamais qu'exceptionnellement: c'est la connaissance des procédés métallurgiques qui s'est répandue et non l'objet lui-même. Le métal circulait probablement sous forme de lingots, ainsi qu'on l'a constaté pour le bronze, qu'on exportait tout préparé, contenant la bonne proportion d'étain.

Il paraît aujourd'hui prouvé que c'est en même temps du Sud et de l'Est qu'est parvenue en Gaule la connaissance du cuivre, qu'elle nous est venue de la mer Noire et de l'Égée, pays où, suivant les spécialistes des questions égéennes, cette industrie aurait débuté vers le commencement du troisième millénaire avant notre ère; mais, naturellement, sa propagation jusqu'aux îles Britanniques et à la Scandinavie aurait exigé de longs siècles. Nous ne contredirons pas ces auteurs en ce qui regarde l'âge de la civilisation dans les îles méditerranéenes, pas plus que dans l'Europe occidentale.

Fig. 46. — Principaux objets archaïques susiens et chaldéens.

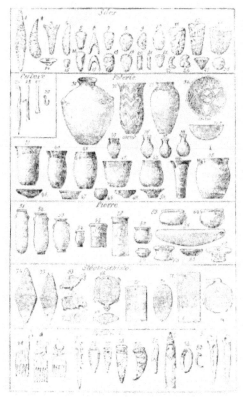

Fig. 47. — Industrie pré-pharaonique de la Haute-Égypte.

Fig. 48. — Industrie énéolithique des temps historiques en Égypte.
Objets de la 1ʳᵉ dynastie pharaonique.

Quant à l'or, on le rencontre aussi anciennement employé que le cuivre, dont il est le compagnon dans presque toutes les stations et dans les sépultures énéolithiques. La tombe de Ménès, à Négadah, contenait une perle-spirale d'or, fort pesante. De même, dans les sépultures de Mugheïr (Ur de la Bible) et de Warka (Erech) les tombes renferment en même temps que des outils de pierre et de cuivre (quelquefois aussi de bronze), de grossiers bijoux d'or.

Quoique les découvertes soient, de jour en jour, plus nombreuses, nous sommes encore bien insuffisamment renseignés sur l'extension et la durée des industries énéolithiques; ce n'est que par de très nombreuses analyses chimiques qu'il sera possible d'être à même de se prononcer; car l'usage du bronze venant se greffer sur celui du cuivre, on trouve fréquemment des mélanges d'instruments de pierre, de cuivre et de bronze. Aussi la plupart des archéologues, tout en reconnaissant l'existence d'une industrie du cuivre et en la plaçant dans la dernière phase néolithique, ne la distinguent-ils que peu ou point de celle du bronze.

L'apparition du métal (*fig. 50*) ne donna pas lieu, comme on serait tenté de le penser, à une révolution dans l'ordre de choses établi; elle se fit lentement et par contact, dans la majeure partie des cas, plutôt que par invasion, et peu à peu s'infiltra dans les milieux néolithiques. Au début, les armes et les instruments métalliques furent peu nombreux, par suite de la rareté du cuivre qui, tout d'abord, n'entra chez les peuples que par le commerce; on copia les formes des outils de silex et, parfois aussi, ce fut l'inverse qui eut lieu. Puis, la métallurgie s'établissant dans les pays miniers, et les relations commerciales s'étendant, la plupart des types de pierre disparurent: mais cette substitution du métal à la pierre fut très irrégulière et très lente, la pierre taillée continua d'être en usage pendant longtemps encore; on l'employait pour armer les projectiles qui, par leur destination même, devaient être perdus. C'est ainsi que, même au temps où le fer était connu dans tout l'Ancien Monde, les pointes des flèches et des sagaies se fabriquaient en pierre en même temps qu'en métal. Puis, dans certaines pratiques rituelles, l'usage de la pierre demeura de rigueur; il persista même pendant des milliers d'années. L'éviscération des momies, en Égypte, se faisait au moyen d'une lame de silex et, chez les Asiatiques, il en était de même pour la circoncision. Cette dernière application de la pierre permet de comprendre l'importance que prit dans les pays égéens le travail de l'obsidienne en vue de l'exportation.

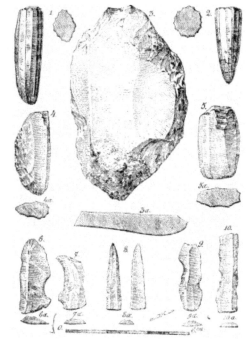

Fig. 49. — Tépéh Goulam (Poucht é Kouh).

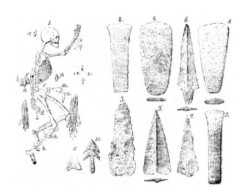

Fig. 50. — 1, Sépulture énéolithique de Fontaine-le-Puits (Savoie). — a, Pointe de javelot. — b, c, Haches en jadéite. — d, Lames et tranchets. — e, Lames et grandes pointes de flèches. — f, 10 pointes de flèches en silex. — g, 22 pointes de flèches en silex. — h, Défenses de sanglier. — k, Hache plate en cuivre (n° 2). — m, Poignard en cuivre (n° 3). — n, Poinçon en cuivre. — p, Coquillage. — q, Pendeloque en cuivre. — 4,

Suse, cuivre. — 5, Île de Crète, *id.* — 6, Hissarlik, *id.* — 7, Espagne (cuivre). — 8-11, Adimeiyeh (Égypte), *id.*

L'industrie énéolithique n'est donc pas, à proprement parler, une étape bien définie de la culture humaine; elle n'est qu'une phase de transition, et nulle part l'apparition du cuivre ne modifia les mœurs et les usages des néolithiques; elle ne représente ni une époque, ni une durée, car sa propagation fut irrégulière dans ses progrès suivant les lieux, et l'apparition du bronze s'étant produite de même manière, il en résulte que certaines régions demeurèrent beaucoup plus longtemps que d'autres, la Hongrie, par exemple, dans cet état transitoire.

Il est à remarquer que le métal, aux débuts, étant une matière extrêmement précieuse, on le ménageait avec grand soin et que, par suite, beaucoup de stations que nous considérons comme étant néolithiques parce que le cuivre y fait défaut, appartiennent cependant à l'industrie énéolithique; quelques archéologues sont même d'avis que les dernières phases de la pierre polie, chez les divers peuples, doivent toutes être rangées dans l'industrie naissante du métal; je ne suis pas éloigné de partager cette opinion en ce qui regarde l'Égypte et le nord de l'Afrique.

CHAPITRE VI

LES INDUSTRIES DU BRONZE

La découverte des métaux et la métallurgie. — Le bronze est un alliage de cuivre et d'étain. Ce mélange possède des qualités de dureté très supérieures à celles du cuivre rouge, métal mou qui se martèle aisément; le bronze est au cuivre ce que l'acier est au fer. Mais ce n'est pas seulement par l'alliage de l'étain qu'on peut donner de la dureté au cuivre, une faible proportion d'arsenic, d'antimoine ou de zinc modifie l'état moléculaire du cuivre. Ces procédés ont peut être été tentés par les Anciens, par tâtonnements, mais on ne peut être affirmatif à cet égard; car ces alliages proviennent peut-être, probablement même, des impuretés du minerai de cuivre traité.

Le mélange qui donne au cuivre les qualités les plus propres à l'usage auquel étaient destinés les armes et les outils, est la proportion de 10 p. 100 d'étain; un supplément d'alliage le rend de plus en plus cassant; une teneur de 30 p. 100 d'étain donne un métal blanc, très fragile, qui était employé dans l'Antiquité pour les miroirs.

Cependant les métallurgistes des temps primitifs, ne disposant pas de nos moyens scientifiques modernes, ne pouvaient procéder que par tâtonnements, par essais successifs, et c'est pourquoi la teneur en étain des instruments de bronze est extrêmement variable. Il faut compter aussi que si les minerais de cuivre se rencontraient en abondance dans l'Ancien Monde, les gisements stannifères étaient beaucoup plus rares et que, par suite, l'étain faisait souvent défaut sur le marché de bien des pays. Toutefois, la composition que les fondeurs des temps préhistoriques semblent avoir voulu atteindre varie entre 10 et 18 p. 100 du métal blanc.

Le cuivre se présente dans la nature sous la forme de métal «natif», assez rare; de sulfures, très abondants, et de minerais oxydés, carbonatés et autres, résultant du contact prolongé des affleurements des filons et amas cuivreux avec les agents atmosphériques; les autres composés naturels du cuivre ne peuvent être pris en considération dans la question qui nous intéresse.

L'étain, dont les gisements sont beaucoup plus rares que ceux du cuivre, et qui sont cantonnés dans un petit nombre de régions, se présente dans les gîtes originels en filons et sous forme de petits cristaux dans des roches cristallines, qu'on désigne sous le nom de granulites; il est toujours à l'état oxydé (cassitérite); on ne le rencontre jamais natif.

La destruction des roches mères et des affleurements filoniens par les agents atmosphériques, a produit des alluvions dans lesquelles le minerai d'étain se trouve à l'état de sables; un lavage de ces alluvions suffit, en raison des différences de densité, pour en extraire la cassitérite. C'est ainsi qu'on procède dans les exploitations de la Malaisie, à Brangka, Pérak et ailleurs. L'or natif s'obtient par les mêmes procédés.

Les premiers métallurgistes, trouvant les gisements de cuivre et d'étain vierges encore, n'avaient donc affaire qu'à des produits oxydés qu'il leur suffisait de traiter au charbon de bois, dans un feu réducteur, pour voir couler le métal. Ce sont d'ailleurs les procédés métallurgiques encore employés de nos jours, et, en particulier pour l'étain, les Malais ont conservé l'usage des fours primitifs, dits bas foyers.

Quant à l'exploitation des mines, elle était fort simple; les affleurements des filons étant encore vierges, il suffisait de prendre, presque sans efforts, les roches filoniennes fendillées par les agents atmosphériques, de ramasser les blocs détachés dans les éboulis, pour le cuivre comme pour l'étain et, pour ce dernier métal, de laver les sables.

Fig. 51. — Les gisements de cuivre et d'étain de l'Ancien Monde.

La cassitérite est toujours naturellement dans une gangue siliceuse, gangue qui s'éclate au feu. Quant aux cuivres carbonatés, que leur gangue soit calcaire ou siliceuse, elle se fend également à la chaleur.

Le procédé du feu a été employé de très bonne heure pour la désagrégation des roches contenant des métaux; on en rencontre des traces dans tous les districts miniers; les gisements aurifères de la Bohême et de la Transylvanie en montrent des milliers d'exemples. D'ailleurs le travail en galeries était en usage déjà du temps des néolithiques pour l'extraction du silex; aussi ne devons-nous pas être surpris de rencontrer de véritables mines datant des premiers temps de la connaissance des métaux.

Il suffisait donc de circonstances favorables, fortuites, pour que l'homme découvrît les deux métaux qui constituent cet alliage dont le rôle a été si grand dans les temps anté-historiques. Or, les gisements de cuivre étant beaucoup plus répandus sur la surface du globe que ceux d'étain, c'est le cuivre qui fut découvert le premier, en même temps que l'or dont les pépites brillaient dans les sables et les grèves des cours d'eau.

Si nous pointons, sur la carte du monde, les principaux gîtes naturels des minerais cuivreux (*fig. 51*), nous voyons que ce métal est de distribution universelle; aussi le cuivre a-t-il été découvert aussi bien dans l'Ancien Monde que dans le Nouveau; le Sud-Africain et l'Australie cependant n'ont pas profité de bonne heure de ces richesses que leur offrait la nature.

Mais, parmi les pays producteurs du cuivre, il importe de distinguer ceux qui ont reçu les connaissances métallurgiques de ceux où ces notions ont pu naître. Tout d'abord les deux Amériques doivent être mises hors de cause; et nous savons par de nombreux témoignages archéologiques que ce n'est ni l'Algérie, ni l'Espagne, ni la France, les îles Britanniques, la Scandinavie, ou l'Europe centrale qui ont vu couler le premier lingot de cuivre. Restent donc les îles Égéennes, l'Asie Antérieure et l'Égypte; car nous avons vu qu'il ne peut être question de la Chaldée, et que l'Égypte a fort probablement reçu de l'Asie la connaissance du cuivre.

En ce qui regarde l'Égypte, une légende causée par une erreur du savant allemand Lepsius s'est établie et dure encore quant à la richesse des mines de cuivre de la presqu'île Sinaïtique. Cet archéologue, qui n'était versé ni dans la minéralogie ni dans la géologie, a pris pour des scories résultant de l'exploitation intense de mines de cuivre supposées, les bancs naturels de minerais de manganèse de Sérabout-el-Khadim; et cette grossière erreur a fait loi parmi ceux qui ont parlé de l'Égypte: or, par leur constitution géologique, les couches dont la presqu'île Sinaïtique est formée ne peuvent contenir de grands gisements cuivreux, et les turquoises disséminées dans des grès sont la seule richesse de ces montagnes. À Wadi Maghara sont bien des restes d'industrie métallurgique; mais cette industrie n'a jamais porté que sur des quantités insignifiantes de minerais carbonatés existant en rognons dans les grès avoisinant ceux où se rencontrent les turquoises. Il faut donc absolument rayer l'Égypte des pays producteurs du cuivre.

Que reste-t-il alors comme contrées où l'invention de la métallurgie a pu se produire? les îles Égéennes, l'Asie Mineure, la Transcaucasie, l'Arménie et l'Iran, d'une part; le groupe extrême-oriental d'autre part; or il est certain que le métal, en Chaldée et dans l'Élam, est beaucoup plus ancien que dans les pays Sino-Japonais et Indo-Chinois.

L'Altaï et le Pamir sont également riches en cuivre; mais l'antiquité de la métallurgie dans ces régions paraît être peu reculée. C'est donc, suivant toute vraisemblance, dans le nord de l'Asie Antérieure que se serait produite cette grande découverte; de là, elle serait descendue en Chaldée, bien rudimentaire encore, avec les hommes qui, les premiers, sont venus habiter les îlots vaseux de ce qui fut plus tard l'empire de Sargon l'ancien et de Naram-Sin; puis elle aurait gagné l'Égypte, les côtes phéniciennes et les îles Égéennes, foyers de leur connaissance dans l'Europe.

Ce ne sont là, certainement, que des conjectures, mais elles reposent sur des bases sérieuses, sur un ensemble de faits que ni la géologie, ni les traditions asiatiques, ni les premières données historiques et l'archéologie ne viennent combattre.

En ce qui regarde l'étain, le problème est d'une solution plus difficile encore; car les régions stannifères sont très peu nombreuses. Les rares gisements d'étain signalés au Maroc, en Espagne occidentale, en Auvergne, en Bretagne et en Finlande ne peuvent entrer en ligne de compte, et il en est de même pour ceux de l'Angleterre, par suite de l'éloignement de ce pays et de son isolement au milieu des mers. La cassitérite se rencontre, suivant certains auteurs, dans le Nord-Est de la Perse, au Khoraeân et dans plusieurs districts de l'Arménie; mais je n'ai pas été à même de vérifier ces renseignements. Madagascar, le cap de Bonne-Espérance, l'Australie doivent être rayés de la liste des pays où la découverte du métal blanc a pu se produire. En Amérique du Nord, la cassitérite se montre (fig. 52) sur la côte de l'océan Pacifique. Au Mexique elle a produit une industrie spéciale du bronze: elle paraît enfin dans l'Amérique méridionale, mais on ne peut faire état des gisements du Nouveau Monde dans une étude relative aux vieux continents.

Fig. 52. — Les gisements
de cuivre et d'étain du Nouveau Monde.

Il ne reste donc que le groupe malais, indo-chinois et chinois, dont la richesse est immense; peut-être que dans des temps plus rapprochés de nous l'étain a suivi la même voie que les grandes invasions mongoles du Moyen Âge pour arriver dans nos pays.

L'Indo-Chine et la Chine étaient particulièrement favorisées par la nature pour que se fit dans ces pays la découverte du bronze: car là se trouvent réunis, et en grande abondance, les minéraux cuprifères et stannifères; mais nous devons borner là ces considérations et attendre que le Centre asiatique et la Chine soient mieux explorés. Peut-être même découvrira-t-on quelque jour dans les montagnes du nord de l'Asie Antérieure des gisements stannifères oubliés depuis des milliers d'années: en ce cas la présence de la cassitérite dans cette région réduirait à néant toutes les hypothèses qu'on serait tenté de hasarder aujourd'hui sur la position du foyer initial de la métallurgie.

Fig. 53. — Moules. 1-2. Écosse (Univalves), pierre. — 3, Moule en bronze margis (Lac Léman). — 4, Lac du Bourget (pierre).

Les archéologues se demandent si la préparation du bronze se faisait en dosant les proportions des deux éléments (*fig. 53*) à l'état métallique, ou bien si les minerais étaient mélangés avant la mise au four, et ils expliquent par cette dernière hypothèse les notables différences dans la teneur en étain des bronzes. Ce ne sont là que conjectures qui, pour être appuyées, exigeraient qu'on pût étudier avec certitude, et dans les moindres détails, une fonderie de cette époque, et analyser les scories laissées par les opérations.

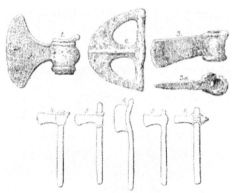

Fig. 54. — 1-3, Haches de bronze (Suse). — 4 à 8, D'après un bas-relief de Naram-Sin, trouvé à Suse.

Il convient d'ajouter que si les Anciens ne se sont pas servis du laiton, c'est-à-dire de l'alliage du cuivre avec le zinc, bien que la calamine soit fort abondante en Europe, c'est parce que le zinc brûle au contact de l'air quand il est porté au rouge, même à l'état d'alliage, et que les procédés métallurgiques de ces temps ne permettaient pas de toujours traiter dans une atmosphère réductrice; l'étain au contraire est fort stable, soit à l'état métallique pur, soit sous forme d'alliage. Quant au plomb, il s'oxyde, et c'est cette propriété qui fait la base de la coupellation, dont les Anciens, dans les temps historiques, ont fait si grand usage pour extraire l'or des quartz, avant que l'emploi du mercure fût en usage.

Quoi qu'il en soit de l'origine des métaux, nous voyons, dans presque tous les pays, l'usage du bronze succéder à celui du cuivre pur; et disparaître peu à peu les instruments néolithiques de pierre. Mais de même que l'industrie de la pierre polie se subdivise en provinces, de même le bronze se montre-t-il façonné de diverses manières suivant les régions et suivant les temps. Les nombreuses peuplades, qui occupaient le monde aux temps de l'introduction du métal, ont, avec le temps, accentué de plus en plus leurs caractères régionaux. Ce n'est pas la naissance des nationalités, car elles sont beaucoup plus anciennes que le métal, mais c'est l'affirmation définitive des clans, des tribus, des peuples, des empires. Les moyens puissants de domination que procurent les connaissances métallurgiques, les progrès rapides d'ordre matériel et intellectuel qu'elles provoquent permirent à certains peuples d'atteindre à l'hégémonie dans leur sphère d'influence, l'Histoire commence en Asie, en Égypte, dans l'Orient méditerranéen, peu après la diffusion de la métallurgie, elle se répand peu à peu aux alentours de ses premiers foyers, le monde moderne débute.

Fig. 55. — Bas-relief du tombeau de Méra (6ᵉ dynastie), représentant le travail des métaux précieux.

En Chaldée et dans l'Élam, l'industrie du bronze naît en même temps que l'usage de l'écriture (*fig. 54*). Ces pays entrent dès lors dans le domaine de l'Histoire: toutefois, chez eux, cette phase de l'industrie se continue pendant bien des siècles encore, jusqu'à ce qu'insensiblement le fer vienne remplacer l'airain dans l'armement. Les formes de ces régions demeurent très longtemps spéciales, elles n'ont rien de commun avec celles usitées chez les peuplades encore barbares du Nord. Sous Naram-Sin, au milieu du quatrième millénaire avant notre ère, la lance, l'arc et la hache sont encore les principales armes offensives; le glaive ne paraît que beaucoup plus tard, pour devenir d'un usage courant en Assyrie, au temps seulement des rois d'Assour, chez les Hellènes avec l'invasion dorienne.

Fig. 56.—Instruments de bronze de l'Égypte pharaonique.

Il en est de même dans la vallée du Nil (*fig. 55*), où le bronze demeure en usage pour bien des emplois jusqu'à l'époque de la conquête alexandrine parallèlement à celui du fer (*fig. 56*). Là aussi les formes archaïques sont spéciales; elles semblent découler de celles des instruments de pierre taillée (*fig. 57*). En Syrie (*fig. 58*) et dans les îles de la Méditerranée orientale (*fig. 59*), bien que l'influence égyptienne se fasse parfois sentir, les formes sont, dans la plupart des cas, très personnelles.

Fig. 57.—Instruments de bronze du Nouvel Empire égyptien (Musée du Caire).

Nous ne sommes malheureusement que fort mal renseignés sur les industries des peuples de l'Asie Antérieure, autres que les Chaldéens, les Élamites et les Assyriens. Mille peuplades diverses se pressaient dans les montagnes et les hauts plateaux du Nord. Ces gens, sauf les Ourartiens, n'usaient pas de l'écriture, et, par suite, leur étude appartient à la préhistoire; les Annales assyriennes fournissent leurs noms; mais ces noms, nous ne pouvons que rarement les placer sur la carte avec sécurité: quant aux pays où ils ont vécu, ils demeurent encore inexplorés au point de vue archéologique.

Fig. 58. — Mobilier des sépultures de Tell et Tin (Syrie)(Fouilles de J.-E. Gautier).

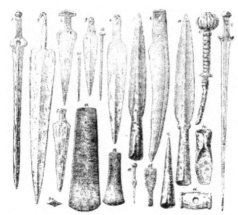

Fig. 59. — Instruments et armes de bronze égéo-mycéniens.

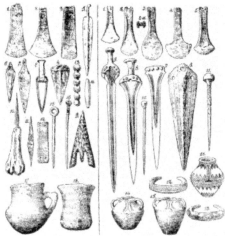

Fig. 60. — Europe occidentale. Industries n°I et n°II du bronze.

Fig. 61. — Europe occidentale. Industries n°III et n°IV du bronze.

D'ailleurs, si l'on en juge par les résultats de mes propres études dans le nord-ouest de l'Iran et la Transcaucasie, recherches qui, à bien peu de chose près, ont fourni tout ce que nous savons sur ces régions, ce n'est pas vers les industries chaldéo-élamites qu'il convient de tourner ses regards pour découvrir les origines de la culture nordique, mais vers les pays encore inconnus de l'Asie centrale. Les diverses cultures du bronze, dont on rencontre les vestiges dans les dolmens du Talyche russe et persan, se relient plus ou moins étroitement aux civilisations de l'Europe centrale et occidentale; on y rencontre l'usage général du poignard et de l'épée, le torque, la céramique incisée, l'ornementation géométrique. À l'exclusion des représentations animales et humaines, beaucoup de ces goûts sont caractéristiques de nos populations néolithiques de l'Occident: il semblerait que, dès avant les temps de la pierre polie, un grand courant se soit établi entre les pays de l'Asie centrale et ceux de l'Europe, que ce courant n'ait pas été affecté d'une manière importante par les grands foyers de civilisation du sud de l'Asie Antérieure, mais qu'en passant d'est en ouest il ait, pour certains détails, emprunté des idées au monde Égéen. Il s'ensuit qu'en parvenant dans nos pays, il ne possédait plus complètement cette allure que nous révèlent les sépultures monumentales des rives méridionales de la mer Caspienne.

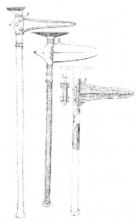

Fig. 62. — Haches d'armes en bronze. — 1-2, Allemagne. — 3, Espagne.

Il convient donc, pour l'Ancien Monde, de partager l'industrie du bronze en diverses régions au développement personnel. La Chaldée et l'Élam, dont l'Assyrie fut la fille, l'Égypte, l'île de Crète: ces foyers semblent être les plus anciens; puis viennent les civilisations nordiques, toutes parentes, plus ou moins proches, qui couvrent tout le nord de l'Asie Antérieure et toute l'Europe, divisant ces vastes régions suivant les lieux et les temps. Là, tout en conservant les grandes lignes directrices de l'industrie nordique du bronze, les divers peuples font preuve de leur génie personnel, de leurs goûts, de leurs tendances. On voit, en des temps divers, se montrer les industries caspiennes, caucasiennes, mycéniennes, de la steppe russe, du Danube (Hongrie), de la Scandinavie et du nord de l'Allemagne, de la Gaule, de l'Espagne, du nord de l'Italie, etc.; et, dans les régions méditerranéenes, les influences minoenne, égéenne, égyptienne même se font très largement sentir, alors que dans les pays du nord elles sont moins accentuées ou, dans tous les cas, plus tardives.

Dans chacune de ces provinces du Nord, de l'Europe comme de l'Asie, l'industrie du bronze a évolué sur elle-même, suivant des phases successives. Dans le nord de la Perse et dans la Transcaucasie on distingue aisément plusieurs époques pour lesquelles les industries diffèrent par les détails, et il en est de même pour toutes les provinces dont il vient d'être question.

Fig. 63. — Instruments et armes de bronze de Hongrie (d'après A. de Mortillet, *Musée préhistorique*.)

Dans nos pays, la forme des premiers instruments de bronze est le plus souvent inspirée par celles des outils de pierre; puis paraît l'épée qui, dans les derniers temps, devient d'un usage courant.

Alors se montrent les armes défensives, le casque, la cuirasse, le bouclier, depuis longtemps en usage chez les Orientaux.

La fibule ne paraît en Occident que vers la quatrième industrie du bronze, alors que l'Égypte, la Chaldée, l'Élam et l'Assyrie ont toujours ignoré cette forme de bijou, tandis que le monde hellénique l'a connue dans des temps fort anciens.

L'espace manque dans cet exposé pour examiner un à un tous les objets des industries du bronze, pour rechercher leur parenté, voire même leur origine; une semblable étude nous entraînerait bien au delà des limites qui nous sont assignées pour ce volume, elle conduirait à distinguer entre les formes originelles de chaque peuple, et celles qui lui sont parvenues par contact avec les habitants des provinces voisines. Il suffit de dire que, dans nos industries du bronze, on rencontre de nombreuses traces de mélanges montrant qu'à ces époques les peuples entretenaient entre eux des relations très étendues.

Quant aux temps où l'industrie du bronze a débuté dans les pays divers, ils sont fort variés et bien souvent difficiles à préciser. En Élam, en Chaldée, en Égypte ce semble être vers la fin du cinquième millénaire avant notre ère; dans l'Orient méditerranéen ce serait au cours du troisième; à Mycènes, vers la même époque; en Gaule, vers 2000 avant J.-C., et dans le nord de la Perse et le Caucase probablement un millier d'années plus tôt; mais toutes ces évaluations ne sont qu'approximatives, notre documentation étant encore beaucoup trop imparfaite pour que nous soyons à même d'établir une chronologie certaine.

CHAPITRE VII

LES INDUSTRIES DU FER

Le passage de l'industrie du bronze à celle du fer ne s'est, dans aucun pays, produit subitement. Longtemps encore après l'arrivée des formes hallstattiennes, nous voyons se perpétuer l'usage des armes et des instruments de bronze. Souvent même, dans les tumuli, rencontre-t-on en même temps des épées et des poignards de bronze et de fer mélangés. Cependant les formes se modifièrent rapidement, et les modèles hallstattiens, reconnus comme supérieurs aux anciens, furent copiés en airain.

Les armes offensives sont l'épée, longue et mince, le poignard, la lance, l'arc et la flèche; glaives et poignards sont remarquables par la forme de leur poignée souvent munie d'antennes, fréquemment aussi d'un pommeau conique d'aspect spécial; quant aux têtes de lances et de javelots, elles sont inspirées des types de bronze.

Il en est de même pour les pointes de flèches. Les types néolithiques de pierre persistent en même temps que ceux de bronze; c'est que, principalement dans les débuts du hallstattien, on ménageait le fer, métal encore rare et précieux. Il n'était guère d'usage que pour les armes, glaives, lances, etc., qui tenues en main, ne se perdent pas.

Comme armes défensives, aussi bien qu'aux temps du bronze, la cuirasse se montre parfois; mais elle est, soit d'origine grecque ou italiote, soit copiée par les Celtes sur des modèles méditerranéens. D'ailleurs l'importation d'ustensiles et d'armes de facture méridionale faisait alors l'objet d'un commerce très étendu: sistules en cuivre battu, cistes et vases de toutes les formes sont fréquents dans les nécropoles hallstattiennes de l'Europe centrale et de la Gaule. Certains de ces récipients sont même fort ornés, montrent des sujets compliqués obtenus, soit au repoussé, soit par la fonte et, pour la plupart, les motifs qu'ils portent se retrouvent en Grèce et en Italie. Puis ce sont des coupes et des vases de verre de divers profils, souvent ornés de zones colorées, et dont la provenance ne peut soulever aucun doute. L'or lui-même intervient dans le mobilier comme dans la parure.

L'outillage et la batterie de cuisine se perfectionnent rapidement et montrent, par leur développement, que les exigences de la vie se sont accrues depuis la fin de l'industrie du bronze. On rencontre des scies, des ciseaux de sculpteur, des couteaux courbes, d'autres qui se replient dans le manche, tout comme ceux dont nous faisons encore usage. Les casseroles de bronze sont nombreuses, les broches réunies en faisceaux ne sont pas rares dans les sépultures étrusques; on fabrique des chenets, voire même des portes-broches, et, parmi les instruments rituels, il convient de citer les grandes fourches à rôtir les viandes.

Quelques tumuli de pays européens divers ont livré des chars, le plus souvent à quatre roues ferrées, et dans d'autres sépultures on a rencontré des socs de charrue. Les mors de chevaux et les bridons sont abondants.

Les bijoux, très variés, sont faits d'or, de bronze et de fer; ce sont des torques, des colliers de perles de verre coloré ou d'ambre, de corail, d'ivoire, de nacre; des bracelets aux formes multiples, des anneaux d'oreilles, des pendeloques, des épingles, des fibules variées à l'infini, des trousses de toilette, des amulettes représentant des animaux, le plus souvent des chevaux, parfois montés; enfin, des ceintures de bronze, plus ou moins larges, couvertes de gravures ou de figuration au repoussé. Presque tous les bijoux métalliques sont finement ornés de dessins géométriques gravés auxquels viennent souvent se joindre des représentations animales, humaines, ou des symboles religieux, tels que le disque solaire, la roue, le swastika, et beaucoup d'autres encore dont la signification nous échappe.

La forme des vases et l'abondance de la poterie varient suivant les régions. Cette céramique est généralement ornée de gravures géométriques, auxquelles vient se joindre une grossière peinture couvrant un enduit, mais on y voit également figurer l'homme et les animaux sommairement rendus par des traits droits, comme dans les représentations caucasiennes.

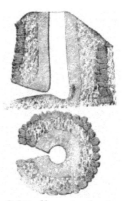

Fig. 64. — Métallurgie du fer. Four
à minerai, Jura bernois, d'après Quinquery.

Les écrivains de l'antiquité classique, grecs et romains, nous entretiennent d'un peuple ligure, mal défini, mais dont le souvenir était resté vivace dans tout l'Occident. Ces Ligures se composaient assurément de toutes les anciennes races indigènes de nos pays, groupées et fondues dans un élément étranger que les auteurs modernes les plus judicieux, dans leurs hypothèses, considèrent comme les auteurs de la civilisation néolithique et pensent qu'ils font partie de ces vagues successives de parler aryen qui se sont abattues sur l'Europe à tant de reprises différentes; les Ligures seraient les constructeurs des dolmens et, peut-être aussi, les premiers habitants des palafittes; mais en même temps que des tailleurs de pierre émérites, ils seraient devenus métallurgistes, vraisemblablement sous des influences extérieures.

Nous avons montré de combien d'incertitudes s'entoure la genèse de la métallurgie, et nous avons dit que nous la pensons être d'origine orientale; elle serait donc parvenue chez les Ligures, déjà depuis longtemps installés en Occident, par des courants continentaux, ainsi que par la mer Méditerranée. Les Celtes et les Doriens auraient été les grands propagateurs de l'industrie du fer. Le métal se serait tout d'abord répandu, en tant que matière et procédés s'y rattachant, et les Ligures auraient adapté son usage à leurs besoins et à leurs goûts; puis seraient venus les objets exportés du monde hellénique. Ainsi s'explique le dualisme des tendances artistiques au cours de l'industrie du bronze, dualisme qui n'existe pas dans les dolmens orientaux du nord-ouest de la Perse, et qu'on ne retrouve dans ces régions que beaucoup plus tard, quand, par les comptoirs du Pont-Euxin, l'influence hellénique pénétra chez les peuples de la Transcaucasie.

Fig. 65. — Tuyères de fours
métallurgiques. — 1, Silésie. — 2-3, Hongrie.

Dans nos pays, la période dite ligure est celle de la fondation des villes, ou du moins, l'industrie du bronze a-t-elle vu le développement des agglomérations créées par les néolithiques devenus sédentaires, par suite de l'apparition de la culture et de l'élevage, les relations commerciales s'étendirent. C'est alors à cette époque que les Phocéens, attirés par le commerce qui ne se faisait encore que de proche en proche, remontèrent à la source et, venant aborder chez les Ligures, fondèrent Marseille.

En ces temps aussi, d'autres peuplades barbares, celles des Celtes, habitaient des pays transrhénans, dans des îles lointaines, les dernières du monde. On fait généralement venir les Celtes d'Orient, par la vallée du Danube. Puis ces hordes seraient remontées dans les pays du nord de l'Allemagne, vers les côtes de la mer Baltique, et c'est de là que, par mer comme par terre, elles seraient descendu sur la Belgique et le nord de la Gaule, chassées de leurs domaines par ces raz de marée qui vers 530 av. J.-C., submergèrent les côtes de la mer du Nord et de la Baltique. C'est également vers cette époque que les Ibères venant de la péninsule espagnole seraient entrés dans le midi de la France.

L'histoire de l'exode des Celtes des pays du Nord nous est connue par bon nombre de passages des écrivains de l'antiquité; aussi les laisserons-nous occupant la Gaule, ayant soumis, sans les détruire ou les chasser, les Ligures. Mais ce qui nous importe le plus, c'est de retrouver leurs traces dans des temps plus anciens. D'ailleurs il était resté des Celtes dans la Thrace et en Macédoine; ce sont eux qui en 279 avant J.-C. pillèrent le temple de Delphes, et cette indication nous est précieuse, car elle permet de relier la culture celtique à des civilisations plus éloignés encore vers l'Orient.

Déchelette estime que de leur domaine primitif, l'Europe centrale et la France du Nord-Est, les Celtes se sont répandus au premier et au second âge du fer sur des territoires très étendus, au commencement du III\ :sup:siècle, époque de leur plus grande extension. Leur domaine aurait compris alors les îles Britanniques, la péninsule Ibérique, la Gaule, l'Italie du Nord, les régions du Rhin et du Danube, jusqu'à la mer Noire; quelques-unes de leurs tribus se seraient établies en Thrace; d'autres auraient réussi à fonder au centre de l'Asie Mineure (Phrygie et Cappadoce) un établissement durable, la Galatie.

Cette désignation de «domaine primitif» semble être bien hasardeuse et dictée par la réaction, de mode aujourd'hui, contre les origines orientales des peuples de langue aryenne. Nos renseignements, bien qu'ils soient incomplets, certainement nous montrent les Celtes s'étendant jusqu'aux rives du Pont Euxin sur le bas Danube; mais ils ne nous disent pas s'il en existait encore plus loin, dans les steppes russes, et si ces peuples n'y avaient pas vécu jadis.

M. Hoernes, l'un des préhistoriens les plus versés dans l'étude de la civilisation dite hallstattienne, se base principalement, dans sa classification, sur les caractères de la céramique et des fibules. Sans disconvenir que ces deux éléments présentent un grand intérêt, nous ferons cependant observer que la véritable caractéristique de cette culture est l'introduction du naturisme dans l'art géométrique, caractère qui la distingue très nettement de la civilisation du bronze dans l'occident et le centre de l'Europe et qui, par ses conceptions et sa technique, l'éloigne des cultures chaldéenne, égyptienne et préhellénique, tout en laissant entrevoir une certaine parenté, très éloignée, avec les goûts mycéniens.

Mais les traces de l'esprit hallstattien ne sont pas limitées à l'Europe, nous en retrouvons au loin dans l'Asie Antérieure du nord, au sud du Caucase et dans les pays caspiens.

Au cours de l'industrie du fer, on voit paraître, en Arménie russe, une civilisation très différente de celle des sépultures plus anciennes; et cette culture se retrouve, bien qu'elle soit modifiée dans bon nombre de détails, tant dans le Talyche russe et persan que dans l'Osséthie, voire même dans le Daghestan. Sa caractéristique est dans les représentations humaines et animales, dont la technique et le style paraissent dériver pour toutes du style géométrique.

En Osséthie, cette culture semble ne pas encore user industriellement du fer, toutes les armes étant faites de bronze; mais ce n'est là qu'une apparence, car la grande prédominance du cuivre chez les Ossèthes provient uniquement du voisinage de riches mines de ce métal. En Arménie elle comprend le fer, l'argent et le plomb. Quant à la céramique, elle possède dans les trois régions la même technique ornementale, l'incision, souvent très soignée, et le lissage; elle fournit des formes animales en Arménie et en Perse, fait nouveau dans ces régions.

Fig. 66. — Industrie du fer, Arménie russe.

Fig. 67. — Têtes de flèches des sépultures de l'industrie du fer dans le nord de la Perse. 1-2, Bronze. — 3, Fer. — 4-5, Obsidienne transparente enfumée. — 6, Obsidienne à veines rouges. — 7, Jaspe rouge-feu (Talyche).

Mais si l'on rapproche ce groupe industriel de celui de Hallstadt, on est frappé des analogies que présentent ces deux cultures; toutefois, dans le Hallstattien, il faut faire la part des influences méditerranéenes, exclure leurs produits, ce qui est aisé d'ailleurs; on se trouve alors en présence d'analogies telles qu'il est impossible de ne pas rapprocher ces deux industries et, par suite, les peuples qui en étaient les auteurs. L'ornementation des vases de Bavière, de style dit géométrique, est identiques à celles du Lelwar et d'Hélénendorf.

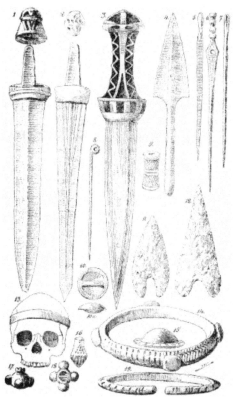

Fig. 68. — Hélénendorf (Transcaucasie).

Dans la parure, nos bracelets hallstattiens ne diffèrent en rien de ceux de l'Orient, les torques sont les mêmes, et il en est ainsi des anneaux d'oreilles, des bagues, des pendeloques, des fibules; on rencontre également les ceintures de bronze, mais la plupart des nôtres sont inspirées par l'Étrurie ou la Grèce. Les trousses de toilette, la forme des armes, les nécessaires de tout genre, les grandes fourches de bronze, tout est sinon semblable, du moins fort analogue. Seules les épingles diffèrent; mais celles du Lelwar ne sont que des imitations transformées des épingles des industries précédentes du fer dans le même pays.

Le mode de sépulture est à peu de chose près le même en Orient qu'en Occident: le corps, allongé (jadis il était accroupi), est recouvert d'un amas de pierres.

De même que le bronze a fait son apparition en des temps divers, dans les différents pays, de même le fer s'est montré, suivant les lieux, à des époques très variées. En Chaldée, en Élam et en Égypte on a connu ce métal dès des temps fort anciens; mais, dans ces régions, l'usage du bronze étant resté prédominant, soit pour des causes religieuses, soit, plutôt, parce que le fer à l'état naturel était rare dans ces parties du monde antique, il en résulte que nous ne savons pas préciser l'époque à laquelle son usage industriel fut introduit. Il en est tout autrement en ce qui concerne les régions nordiques, tant en Asie qu'en Europe.

Dans la Transcaucasie, on distingue deux formes successives de l'industrie du fer, très différentes d'aspect et certainement appartenant à des groupes ethniques divers. La première, très spéciale, semble n'être, somme toute, qu'une continuation des usages de la culture du bronze dans ces pays; elle est localisée dans les montagnes de l'Arménie. La seconde au contraire, nous venons de le voir, est celle qui paraît avoir été soit la mère, soit la sœur du hallstattien de l'Occident. Cette dernière, d'ailleurs, si nous en jugeons par les mobiliers funéraires, aurait emprunté quelques détails à la civilisation qui l'avait précédée dans la Transcaucasie.

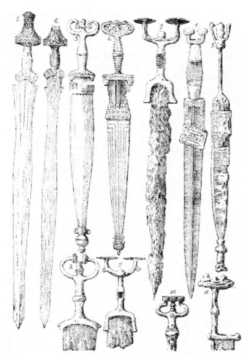

Fig. 69. — Épées et poignards hallstattiens de l'Occident européen.

En Occident, seule la seconde culture caucasienne trouve son équivalent; mais elle est, dans nos pays, suivie d'une autre phase qu'on a coutume de désigner sous le terme d'industrie de la Tène, du nom de la localité où elle est le mieux représentée. Cette industrie de la Tène était celle de la Gaule à l'époque de la conquête romaine. Elle est fort imprégnée de l'esprit méditerranéen ainsi que de goûts venus du Nord, de l'Allemagne septentrionale et de la Scandinavie, et ne semble pas être, comme le Hallstattien, d'origine orientale.

À cette époque, dans tout l'Occident et le Centre européens, la culture hellénique et celle des Italiotes prend de plus en plus d'importance; la monnaie, grecque tout d'abord, puis indigène au type grec, fait son apparition, et l'histoire proprement dite commence.

Ailleurs, dans le nord de la Russie et en Finlande, l'usage du fer succède directement à celui de la pierre polie. Il en est de même dans l'Afrique centrale et sur le Haut Nil, probablement en des temps plus anciens qu'en Europe. Aux Indes, ce progrès paraît avoir été dû à la conquête alexandrine, ou tout au moins l'avoir précédée de peu de siècles. Quant aux pays extrême-orientaux, nous ne pouvons encore juger de leur évolution.

Au Nouveau Monde, en Océanie, dans la Polynésie, chez les tribus du Nord sibérien, l'apparition du fer est toute récente; elle date de la découverte de ces terres par les explorateurs de notre époque.

CHAPITRE VIII

LE TRAVAIL DES MATIÈRES DURES

Nous avons vu que les plus anciens produits de l'industrie humaine dont nous ayons actuellement connaissance, sont des instruments en pierre éclatée, silex, quartzite, grès siliceux, quartz, suivant que le pays fournissait naturellement l'une ou l'autre de ces roches, soit dans les affleurements des couches géologiques, soit dans les alluvions.

Dans toutes les contrées et dans tous les temps préhistoriques, le silex a toujours été préféré aux autres roches, parce qu'il s'éclate aisément et que ses éclats sont extrêmement tranchants. Le silex est une substance très résistante, que seul le choc sur un corps dur peut émousser; il se prête admirablement à la taille par percussion et ses éclats sont rapidement façonnés soit à petits coups, soit par la pression, car il suffit de comprimer obliquement, au moyen d'un corps de dureté moyenne, le tranchant d'un éclat de silex, pour déterminer la levée de petits éclats, et en répétant cette opération, on donne aisément une forme intentionnelle à l'instrument. Le retouchoir peut être en silex ou en toute autre pierre de dureté moyenne, voire même en bois, en os, en corne; car la pression à exercer pour obtenir les retouches est fort légère.

Le grès siliceux, les quartzites, le quartz et le cristal de roche, de dureté égale ou supérieure même au silex, ne possèdent pas les qualités de cette matière et se fendent gauchement, n'obéissent, semble-t-il, qu'à regret aux volontés de l'ouvrier qui les façonne. Il en est résulté tout d'abord que ces roches n'ont été employées qu'à défaut de silex et que, dans les temps où les relations entre peuplades étaient devenues faciles, le silex a fait l'objet d'un commerce fort étendu.

D'autres matières, telles le jade et l'obsidienne, ont été d'usage également; mais le jade, substance très dure, ne se taille que très difficilement, par percussion, et n'obéit guère qu'au polissage; aussi ne le rencontre-t-on que dans les dernières industries néolithiques, en même temps que la serpentine, la diorite et autres roches de filons dont l'emploi était inconnu avant que l'homme appliquât à la pierre le polissage que, depuis longtemps déjà, il pratiquait pour l'ivoire, l'os et la corne.

Quant à l'obsidienne, qui se taille de merveilleuse manière, elle présente le grand défaut d'être trop fragile. Cette roche volcanique a cependant été fort employée dans l'antiquité préhistorique, pour cette raison qu'elle peut, pour bien des usages, remplacer le silex toujours absent dans les pays où elle-même se rencontre naturellement au milieu des coulées de laves. Cette matière a été très employée au Mexique, au Japon, dans les îles grecques de la Méditerranée, en Transcaucasie et dans l'Arménie. Elle se taille tout comme le silex, mais ne se prête pas au polissage.

Quand on frappe obliquement sur un noyau de silex, soit à l'aide d'un marteau, soit avec un simple galet de pierre dure, on lève un éclat dont la face fraîche présente une surface légèrement bombée, saillante à proximité du point qui a reçu le coup. Cette protubérance se nomme «bulbe de percussion». Ce bulbe existe dans les éclats de toutes les roches dures. Il en résulte, sur le noyau, une cavité correspondante. Si, après avoir déterminé sur un noyau le départ d'un certain nombre d'éclats sur le même côté, on frappe dans l'autre sens, on produit un tranchant fort aigu, suivant une ligne sinueuse dont les saillants et les rentrants peuvent être atténués par de nouvelles tailles moins violentes; on parvient alors à façonner un tranchant très régulier. Ces deux types sont ceux de l'industrie paléolithique, le chelléen montrant, le plus souvent, les tranchants sinueux et l'acheuléen présentant les bords coupants à peu de chose près réguliers. Avec l'industrie moustiérienne la taille devient plus soignée dans les coups de poing; mais l'homme fait surtout usage d'éclats qu'il retaille sur les bords, d'un seul côté seulement, soit par percussion, soit par pression. Nous avons vu qu'avec les industries archéolithiques, le coup de poing disparaît; mais son procédé de taille sur les deux faces est, dès lors, appliqué à l'éclat; il en résulte l'apparition des nuclei, noyaux sur lesquels on prend les lames pour les façonner ensuite de cent manières différentes, suivant les besoins, en les retouchant sur une seule face ou des deux côtés.

L'industrie mésolithique montre de grands progrès quant à la variété des formes; on voit paraître entre autres le tranchet, précurseur de la hache qui, plus tard, sera polie; mais le tranchet, en général, n'est taillé que d'un seul côté, l'autre demeurant plat.

En Égypte et aux Indes, ce tranchet se montre sous la forme d'une véritable hache, concurremment avec une autre disposition dans laquelle l'instrument est dégrossi sur les deux faces; son taillant est alors obtenu au moyen d'un coup habilement frappé sur le côté de l'outil ainsi préparé. Toutefois, dans la hache-tranchet de l'Égypte, le tranchant est souvent produit par une série de retouches, ce qui l'éloigne du véritable tranchet campignien, comme celui des Indes.

La hache polie se montre dans l'industrie néolithique, en même temps qu'un grand nombre de formes nouvelles, et son usage se continue au cours des industries énéolithiques, voire même du bronze; car le métal était encore très rare alors et, pour bien des usages de la vie, on conservait l'emploi des anciens instruments.

C'est dans l'industrie néolithique et énéolithique que se rencontrent les chefs-d'œuvre de la taille du silex, et l'on a peine à concevoir que des ouvriers fussent assez habiles pour tailler avec une pareille perfection ces grandes lames égyptiennes, quelquefois polies d'un côté, toujours si minces et portant les traces d'enlèvement des éclats de retouche fait avec une régularité mathématique. Les néolithiques, tant en Égypte que dans les pays scandinaves, étaient passés maîtres dans leur art. Sur le Nil on façonnait même de légers bracelets en silex, parfaitement circulaires et polis à l'extérieur. Dans le Jutland et la Scanie, on excellait dans la fabrication des poignards. Quelques pièces trouvées en France même ne sont pas négligeables mais il reste à savoir si elles sont vraiment indigènes; car, à cette époque, le commerce du silex avait pris une grande extension.

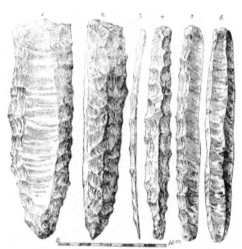

Fig. 70. — Nᵒˢ 1-2, nucleus (Grand-Pressigny). — Nᵒˢ 3-4, 1ʳᵉ lame. N°5, 2ᵉ lame. — N° 6, 2ᵉ lame.

Le silex se trouve, dans le nord de l'Europe, par gros rognons au milieu des assises du terrain crétacé supérieur (Cénomanien, Turonien et Sénonien); c'est surtout dans la craie qu'il s'est formé, alors qu'elle se déposait, la silice se concentrant dans les vides laissés par le moulage et la disparition des corps organiques enfouis dans la vase. Les spongiaires ont été la cause principale de cette concentration. Dans le sud de l'Angleterre, le nord de la France, la Belgique, le nord de l'Allemagne et le Danemark se trouve, dans la craie blanche, le plus beau silex du monde. En Suède il n'existe pas de craie à silex.

En Algérie et en Tunisie, les silex abondent dans les mêmes terrains qu'en Europe occidentale, alors qu'en Égypte c'est dans les couches tertiaires (nummulitiques) qu'il se rencontre; toutefois, dans les coteaux de la vallée du Nil, la qualité de cette matière ne le cède en rien à celle de nos silex occidentaux.

Pour alimenter le commerce et fournir de silex les populations qui n'en possédaient pas de gisements dans leur sol, il se forma des centres de la taille: des ateliers s'établirent en Belgique, dans le bassin de la Loire, au Grand Pressigny. Dans cette dernière localité se fabriquaient de superbes lames qui étaient exportées dans tout l'Occident européen; mais il ne semble pas qu'on y eût taillé en grand nombre d'autres instruments. Au Grand Pressigny, entre autres, les nuclei abandonnés, après qu'ils eurent rendu les services qu'on attendait d'eux, se rencontrent dans les champs par milliers et milliers. Ce sont de longs blocs de silex retaillés à grands éclats sur toutes les faces, mais dont une seule était préparée pour l'enlèvement des lames. Ils sont très variables de dimensions: on en voit présentant plus de cinquante centimètres de longueur (*fig. 70*).

C'est par percussion que ces grandes lames étaient enlevées; il fallait, à coup sûr, une bien grande habileté de main et des précautions spéciales pour que la vibration ne brisât pas ces couteaux si longs et si minces, si fragiles. Certes on rencontre des débris; mais ils sont en bien petit nombre si l'on tient compte du nombre énorme des nuclei, et par suite de la production des lames.

La taille des lames d'obsidienne, dans les îles de l'Orient méditerranéen, se faisait de la même manière, mais nuclei et lames n'atteignent pas de grandes dimensions: les plus grands nuclei ne dépassent jamais une vingtaine de centimètres de longueur (*fig. 71*).

Fig. 71. Nucleus et lames d'obsidienne (Phylacopi, île de Milo).

Bientôt les affleurements de silex ayant été exploités, les ouvriers songèrent à creuser des puits dans le sol pour aller y chercher les couches riches en silex. D'ailleurs ces ouvriers avaient probablement reconnu que cette matière à l'état frais, et conservant encore son «eau de carrière», se taille plus aisément que celle qui, pendant longtemps, a été exposée au contact de l'air et aux intempéries.

C'est en 1867 que des géologues belges découvrirent à Spiennes, près de Mons, les premières de ces curieuses mines; mais par la suite la même industrie fut reconnue dans l'Aveyron (*fig. 72*), par MM. Boule et Cartailhac, puis dans le département de l'Oise, dans celui de la Marne, en Angleterre, dans le Norfolk et le Sussex. Enfin, dans ces dernières années, Seton Karr a découvert en Égypte de très vastes exploitations (*fig. 73 et 74*).

Fig. 72. — Puits d'extraction du silex à Mur-de-Barrez (Aveyron). D'après M. Boule (Mat. 1887, p. 8).

À Spiennes, les néolithiques ont foré des puits de 0 m. 60 à 0 m. 80 de diamètre jusqu'à une profondeur atteignant parfois 12 mètres, au travers des couches du quaternaire et du tertiaire, puis de la craie, jusqu'à parvenir au banc des silex de la meilleure qualité. À cette profondeur ils avaient pratiqué dans tous les sens, des galeries irrégulières hautes de 0 m. 50 à 2 mètres et larges de 1 mètre à 2 m. 50. Dans ces galeries on a retrouvé des pics en bois de cerf et en silex, des marteaux, des haches polies, le tout accompagné de cendres, de bois calciné, et, autour de ces puits sur environ vingt-cinq hectares, le sol est couvert d'éclats et de rebuts de la taille; c'est là que se trouvait l'atelier.

Fig. 73. — Croquis topographique
des mines de silex de Ouadi el Cheikh (Égypte),
d'après les relevés de Seton Karr.

Ces sortes d'exploitations ont certainement été fort nombreuses dans nos pays; mais les terres qui recouvrent les puits ayant été cultivées depuis de longues années, il est fort difficile de reconnaître leur emplacement. En Égypte, les conditions sont tout autres; c'est dans le désert que les néolithiques ont ouvert leurs mines, et le sol est encore dans l'état même où ils l'ont laissé, il y a de cela plus de six mille ans (*fig. 73*); on voit encore les buttes de décombres (*fig. 74*), haldes du travail des mineurs laissées autour du puits, et ces buttes s'alignent en nombre infini sur les bords de certains vallons connus dans ces temps pour la richesse en silex des couches qui se trouvent sous les alluvions quaternaires. Ces travaux, considérables, sont assurément contemporains de la belle industrie du silex en Égypte; c'est-à-dire que, commencés peut-être avant l'apparition du métal, ils se sont continués sous les rois dont les restes ont reposé dans les nécropoles de Négadah et d'Abydos.

Bien longtemps avant de polir le silex, les matières sédimentaires siliceuses et les roches cristallines, les hommes avaient travaillé et poli l'os et l'ivoire et quelques ustensiles de pierre; ils n'ignoraient donc pas cette méthode de travail mais, pour des causes qui nous échappent, ils ne l'employaient pas et ce n'est que très tardivement qu'ils en firent usage.

Fig. 74. — Mines de silex de Ouadi el Cheikh, d'après une photographie de H.-W. Seton Karr.

L'instrument, taillé avec beaucoup de soin, présentait la forme qu'il devait avoir après le polissage. Pour les outils de silex, par de petites retouches habilement faites, on enlevait le plus qu'il était possible des arêtes par trop saillantes, et, pour les autres roches, c'est par un piquage, au moyen d'un percuteur pointu, d'une roche très résistante qu'on amenait l'instrument à sa forme; puis en le frottant sur une substance plus dure et, probablement aussi, en s'aidant de sable et d'eau, on enlevait tous les saillants des retouches.

Cette opération se faisait soit sur un rocher, soit sur une grosse pierre apportée dans le campement et auquel nous donnons le nom de polissoir. Nous connaissons des polissoirs des industries aurignacienne, magdalénienne, azilienne: mais ces pierres ne servaient alors qu'au polissage des os et de l'ivoire, à la fabrication des aiguilles et des épingles. C'est au néolithique que commence le polissage de la pierre, il ne s'applique qu'à quelques instruments seulement, haches, erminettes, gouge, ciseau et casse-tête, dans le monde entier, couteaux et bracelets en Égypte seulement; et encore les instruments polis ne le sont-ils souvent qu'au tranchant. Toutefois il est à remarquer que dans le sud de l'Europe, en Italie, en Grèce et en Espagne les haches polies de silex font défaut et qu'en

Afrique du Nord elles semblent également manquer, ou du moins être extrêmement rares.

Fig. 75. — Pic de mineur de Ouadi el Cheikh (musée de Saint-Germain récoltes de Seton Karr) et son emmanchement.

Fig. 76. — La «Pierre aux dix doigts», Villemaure (Aube).

Les polissoirs sont le plus souvent en grès dur; on en connaît cependant en granit, en quartzite ou en toute autre roche dure. Dans la Dordogne on a fréquemment employé des dalles de silex. L'un des plus remarquables est celui dit «la pierre aux dix doigts» (fig. 76), de Villemaure, dans l'Aube.

Mais à côté de ces polissoirs fixes, sur lesquels on frottait l'instrument qu'on désirait achever, il est bon nombre de polissoirs à main et d'aiguisoirs qui certainement n'étaient pas destinés au polissage des outils de pierre, mais servaient pour l'os, l'ivoire ou la corne. On les rencontre en grand nombre dans les stations néolithiques; quelques-uns même sont percés et pouvaient être suspendus à la ceinture.

Fig. 77. — Bas-relief de la VIe dynastie d'Égypte. La fabrication des vases de pierre.

Fig. 78. — 1 à 5, Vases de pierre. El Amrah (Hte-Égypte).

Le néolithique, vers son apogée, a connu les instruments perforés pour recevoir leur emmanchement, haches, marteaux, masses, casse-têtes, etc., qu'on rencontre dans tous les pays du monde. Ces armes presque toujours faites de pierre très dure, diorite, serpentine ou autre, ont été longtemps en usage, car on les trouve fréquemment avec des instruments de bronze; mais on aurait grand tort de les considérer comme représentant une époque car, dans les diverses régions où elles se rencontrent, l'industrie énéolithique ne peut être considérée comme de la même antiquité. En Égypte et en Chaldée, les masses de formes diverses sont extrêmement anciennes et leur usage s'est, dans la Mésopotamie, conservé jusqu'à nos jours. Les Arabes des tribus, en effet, sont encore armés d'un casse-tête fait d'un court bâton muni, à l'une de ses extrémités, d'une grosse boule de bitume.

Quant à la perforation du trou d'emmanchement, elle se faisait, comme de nos jours encore, par rotation d'un foret circulaire, généralement creux, actionné, soit à la main, soit à l'aide d'un archet, agissant sur la pierre à percer; le sable mouillé jouait un grand rôle dans ce travail qui permettait aussi le forage des vases de pierre dure, cristal de roche, obsidienne, cornaline, etc... Certains bas-reliefs de l'ancien empire égyptien nous montrent des ouvriers occupés à ce travail (*fig. 77*).

Fig. 79. — Vase de pierre.
Abou Zédan (H^te-Égypte).
Énéolithique. — Rech. H. de Morgan.

Dès le temps des industries de la pierre éclatée, l'homme travaillait le bois; dans les dernières périodes, dans celles qui ont précédé l'apparition du métal, il abattait de gros arbres, dont il creusait le tronc pour en faire des pirogues, sortes d'auges allongées, rondes ou carrées aux extrémités. Il coupait aussi et taillait en pointe les pieux de ses villages lacustres et les poutres de ses habitations. Certes ce travail exigeait beaucoup de patience, nous le savons, ayant vu les Indiens de l'Amérique méridionale se livrer à ces travaux; mais on n'en parvenait pas moins à ses fins, tout comme si l'on avait disposé de haches métalliques. Le temps alors était le principal facteur de toutes les œuvres, il l'est encore chez les peuples primitifs; les Indiens de l'Alaska polissent l'ivoire de morse en le frottant pendant des semaines et des mois dans le creux de leur main, et obtiennent ainsi un lustre que jamais ne produirait un procédé plus rapide.

DEUXIÈME PARTIE

LA VIE DE L'HOMME PRÉHISTORIQUE

CHAPITRE I

L'HABITATION

Nous ne savons rien de l'habitation des hommes antérieurement à l'apparition de l'industrie moustiérienne; les cavernes, cependant, étaient ouvertes; car, dans la plupart d'entre elles, on trouve à la base du remplissage des dépôts de résidus de la vie des animaux sauvages. On est donc amené à penser, soit que le pays n'était pas habité antérieurement à l'existence des moustiériens, soit, comme nous l'avons dit plus haut, que les industries chelléennes et acheuléennes sont contemporaines du moustiérien, répondaient à des besoins que n'avaient pas les populations troglodytes, et que Chelléens et Acheuléens se construisaient des hottes dans les pays dépourvus d'abris naturels. Il n'est pas possible, en effet, d'admettre que ces gens ne se seraient pas mis à couvert dans les grottes qui s'offraient à eux.

Les cavernes ayant conservé les vestiges provenant des générations qui s'y sont succédé, apportent des renseignements des plus précis quant à la vie des hommes paléolithiques et archéolithiques. Dans celles de Grimaldi (grotte des Enfants), les dépôts de remplissage s'accumulaient avant les fouilles sur 10 mètres environ de hauteur. À la base était une couche renfermant des coprolithes d'hyènes, puis s'étageaient neuf zones de foyers distincts, tous appartenant au quaternaire. Les couches profondes étaient caractérisées par la présence d'ossements du *Rhinoceros Mercki*, et cet exemple n'est pas isolé; car toutes nos cavernes ont été habitées de même manière, avec plus ou moins de régularité. Quelques-unes cependant, provisoirement abandonnées par l'homme, sont devenues, à nouveau, le repaire des carnassiers; puis elles ont été reconquises, et les foyers succèdent aux couches dans lesquelles les produits de l'industrie sont absents.

En dehors des cavernes, nous ne connaissons avec certitude rien de l'habitation des hommes durant les temps quaternaires; c'est avec les industries mésolithiques qu'apparaissent les premières traces de huttes bâties en plein air. Les kjœkkenmœddings danois et les stations campigniennes montrent l'homme construisant ses abris en clayonnages de branches enduits de pisé, et ces huttes primitives le plus souvent sont groupées en villages et généralement défendues, soit par la nature, soit par des palissades. Ces maisons primitives étaient de petite taille, circulaires et offraient 2^m, 50 au plus de diamètre. Dans certains cas, les unes servaient d'habitation et les autres de cuisine. En général, les villages se trouvent à proximité des cours d'eau; car il ne faut pas oublier que, bien que s'adonnant à l'élevage et à la culture des céréales, les mésolithiques et néolithiques tiraient encore de la chasse et de la pêche une grande partie de leur subsistance. Bon nombre de ces agglomérations avoisinaient les gisements les plus importants de silex, d'obsidienne ou plus tard de métaux, causes de l'établissement de véritables fabriques pour l'exportation. Le sol devait fournir la vie et les groupes, chacun peu nombreux, trouvaient aisément leur subsistance autour des villages.

Le mode d'existence des hommes à cette époque ne les portait généralement pas à bâtir de véritables cités: cependant certaines agglomérations peuvent prendre le nom de ville, tel est le camp de Chassey, dans la Côte-d'Or, qui ne couvre pas moins d'une douzaine d'hectares, et le Campigny (Seine-Inférieure), dont les huttes s'étendent sur trois ou quatre hectomètres carrés. Plus en aval, dans la vallée de la Bresle, près du village d'Incheville, un plateau portait également un camp campignien, probablement fortifié; et ce camp mesurait plusieurs centaines de mètres de longueur. Citons encore les bourgs de Catenoy (Oise); de Camp-Barbet, à Janville, dans le même département: celui de Peu-Richard, commune de Thénac, dans la Charente-Inférieure.

Quant aux fabriques d'instruments de pierre, elles variaient suivant la nature du sol et les besoins de l'exportation. Dans beaucoup de localités on taillait des armes et des outils de toutes formes, alors que dans d'autres on ne fabriquait que certains types. En Normandie et en Champagne, on polissait les haches; dans le

Calvados et la Seine, on taillait les grattoirs. Le Grand Pressigny, nous l'avons vu, était un centre de fabrication des grandes lames.

Mais ce n'est pas seulement en France qu'on rencontre les restes d'agglomérations humaines des derniers temps de la pierre. En Belgique, dans la province de Liège, sont les traces de nombreux villages de ces temps. En Italie, d'intéressantes découvertes ont été faites dans les Abruzzes, dans le Reggianais, dans les provinces de Mantoue, de Brescia, etc..

Ce que nous connaissons des huttes de l'Allemagne nous montre que les mœurs qui ont présidé à la construction des habitations différaient de celles de nos pays. Les huttes étaient rectangulaires, construites en charpente garnie de treillages de branches, enduits de pisé, peint en diverses couleurs d'ornements géométriques. En Bohême, en Hongrie, en Bosnie en Transylvanie et jusqu'en Roumanie on a relevé les traces de villages néolithiques; mais si l'on compare ces découvertes entre elles, on constate de sensibles différences, soit dans la construction des abris, soit dans la céramique, soit dans l'outillage de pierre, dont le principe reste cependant le même d'une manière générale.

Il est bien difficile de distinguer entre les maisons néolithiques et celles des gens en possession du métal, les goûts différaient suivant les contrées, suivant la nature des matériaux que la nature mettait à la disposition de l'homme et, d'ailleurs ces habitations ne peuvent être datées que par les objets qu'on rencontre dans leurs ruines. Les maisons de Megasa et Phaestos attribuées par MM. Dawkins et Mosso au néolithique sont, sans qu'aucun doute soit possible, énéolithiques, d'après les objets qu'elles contiennent, autant que par leur mode de bâtisses. De même à Orchomène les constructions avec soubassements en pierre et murailles en briques crues, appartiennent à une civilisation déjà fort avancée, dans laquelle le métal était certainement connu. C'est à tort que Schliemann les attribue au néolithique.

L'Europe était alors peuplée de tribus appartenant à des races très diverses, de mœurs très différentes, et les variations dans les usages, qui se feront sentir plus encore après l'apparition des métaux, en sont la meilleure des preuves.

Dans les plaines et les vallées fertiles et giboyeuses, l'homme devait se tenir en garde contre les animaux sauvages et aussi contre ses voisins; les luttes étaient alors incessantes entre les tribus, comme elles le sont encore de nos jours chez les nomades soit pour la possession des terrains de chasse et de pêche, soit pour celle des pâturages et des terres de culture. La sécurité n'était donc que très relative. Ne savons-nous pas qu'avant d'avoir été presque anéantis par les Européens, les Indiens des États-Unis étaient perpétuellement en guerre entre eux? Aussi voyons-nous presque tous les villages néolithiques entourés de murailles de défense. Malheureusement ces sites ayant été habités longtemps encore après l'apparition du métal, il est impossible d'attribuer d'une manière certaine aux néolithiques les fortifications dont nous reconnaissons les restes.

Fig. 80. — Urne funéraire en forme de cabane (Étrurie).

Toujours à la recherche de conditions d'existence plus favorables, les néolithiques, dans les régions des lacs, n'ont pas manqué de se mettre à l'abri de leurs ennemis en bâtissant leurs habitations sur l'eau. Malgré les moyens rudimentaires dont ils disposaient, ces hommes, abattant les arbres de leurs forêts, en firent des pieux qu'ils enfoncèrent dans la vase des lacs, puis sur ces pieux ils établirent un plancher plus ou moins étendu, et c'est là qu'ils construisirent leurs demeures. Ce procédé, ignoré dans nos pays avant l'apparition de la pierre polie, est encore en usage dans l'Extrême-Orient et l'Océanie. La baie de Singapoure m'en a fournit un frappant exemple: là, toute une population chinoise, composée en grande partie de pêcheurs, vit encore sur l'eau.

En Suisse, on compte aujourd'hui plus de deux cents palafittes. Ces sortes de stations sont nombreuses dans nos lacs français des Alpes et du Jura; on en rencontre jusqu'en Écosse et en Russie.

D'ailleurs, la construction sur pilotis n'est pas réservée aux habitations bâties sur l'eau. Dans toute la Malaisie, les maisons sont établies sur pieux, et leur plancher est situé à quelques mètres du sol; c'est ainsi que les indigènes se protègent contre les miasmes et les animaux nuisibles. C'est sur ce même principe qu'ont été construits les terramares de la Haute-Italie.

Quant aux *crannogs* de l'Irlande et de l'Écosse, leur construction partait de la même conception; mais ce principe de se défendre par l'eau était réalisé sous une forme différente de celle des palafittes. Les crannogs sont des îlots faits de main d'homme produits par la surélévation artificielle de bas-fonds couverts d'eau en hiver, émergeant en été.

On conçoit que les habitants des palafittes aient jeté à l'eau tous les débris de leur vie, et que, bien souvent, des objets utiles soient tombés par mégarde. Aussi parmi la forêt des piquets encore plantés dans la vase, marquant la position des villages, la drague ramène-t-elle tout le mobilier de ces temps: instruments de pierre, de métal, os et bois travaillés, poteries, jusqu'à des fragments d'étoffes et de filets, des cordages, conservés par la tourbe, des pirogues creusées dans le tronc d'un arbre, des fruits, des graines, bref tout ce qui se rencontrait alors dans l'existence courante, et, grâce à ces innombrables restes, nous possédons mille renseignements sur la vie intime de ces populations.

Quant aux pilotis qui demeurent en place depuis tant de siècles, ils permettent de juger de l'importance des diverses agglomérations et d'établir le plan de leur contour.

À Robenhausen (en Suisse), sur le lac de Pfaeffikon, la surface de la bourgade était, à peu de chose près, d'un hectare et demi, et le village s'élevait à trois mille pas environ de la rive du lac. Un pont très long mettait en communication le bourg avec la terre.

Longtemps encore après l'apparition des métaux, les vieilles coutumes, quant à la construction des habitations, subsistèrent dans nos pays; nous possédons dans les bas-reliefs romains, surtout dans ceux de la colonne Trajane, des représentations très concluantes à cet égard; et quelques urnes funéraires de l'Étrurie et du Latium (*fig. 80*) nous donnent l'exacte reproduction des huttes de ces temps en ces pays. L'homme ne songea que beaucoup plus tard à construire des murailles pour ses habitations; son premier soin fut de faire usage de la pierre pour conserver les ossements de ses morts; ce n'est que longtemps après qu'il prit soin de protéger sa propre vie, en élevant des remparts de défense. Toutefois on doit remarquer que dans l'Orient méditerranéen les populations, dès les temps de l'industrie énéolithique, construisaient en pierres sèches les murailles de leurs habitations; qu'en Asie, on faisait usage de mottes irrégulières d'argile, à Suse entre autres, pour le rempart préhistorique, et que ce mode de construction se transforma rapidement en Égypte, et donna naissance à la brique dont les sépultures des dynasties Thiuites sont bâties; les tombes royales de Négadah et d'Abydos sont faites de briques crues. Quelque temps après, on employa même ces matériaux pour élever les remparts protecteurs des villes. Les murailles d'El Kab sont un bel exemple de l'architecture militaire primitive. Plus tard, sous la XIIe dynastie, les pyramides des Ousertesen et des Amenemhat se composaient encore d'un énorme noyau de briques crues, revêtu d'un parement de pierre; et, bien des siècles après, sous les Achéménides de Perse, tout était fait de grandes briques crues, maisons, palais et remparts, bien que la brique cuite fût déjà connue tout au moins depuis le temps des Patésis d'Élam. En Gaule, en Grèce, dans toute l'Europe, en Égypte même, la brique cuite n'est apparue, et ne devint d'un usage courant, que lors de la conquête romaine.

Les nomades de nos temps vivent sous la tente, abri fait de peaux, ou de toile grossière de crin, qu'ils chargent sur leurs bêtes, dès que les pâturages sont épuisés autour de leur campement; car à peine restent-ils quelques semaines sur le même point. Il en était certainement de même aux temps préhistoriques chez les nomades chasseurs ou pasteurs soit que le gibier fût épuisé, soit que l'herbe eût été mangée par les troupeaux. Or ces changements continuels ne laissent aucune trace durable; en quelques jours, la pluie et le vent disséminent les cendres des foyers; il ne reste sur le sol que quelques pierres demi-calcinées, et de rare objets oubliés ou abandonnés; c'est ainsi que s'expliquent les innombrables trouvailles d'objets isolés qu'on fait dans tous les pays, et que rien ne vient corroborer entre elles.

Les agglomérations préhistoriques, dans les divers pays, diffèrent beaucoup par leur taille: nous avons vu que la palafitte de Robenhausen mesurait environ 1 hectare et demi de superficie. Ces proportions se retrouvent dans quelques citadelles primitives; à Murcens (Lot), au mont Beuvray (Saône-et-Loire), les dimensions sont égales à celles de Robenhausen. Alise Sainte-Reine (Côte-d'Or) occupait une superficie de 9 700 ares; Gergovie, 7 000 ares; et la Rome palatine couvrait 1320 ares, alors que Tyrinthe n'était que de 200 ares, Athènes de 250 et Mycènes de 300.

Il est à remarquer que l'usage de s'établir dans des lieux élevés, de construire des acropoles entourées de murailles, paraît avoir été apporté par les peuples venus de la Sibérie; car toutes les grandes villes fondées par les peuples de vieille souche se trouvent dans les vallées au bord des cours d'eau. Thèbes, Abydos, Memphis, Our, Ourouk, Babylone, Suse, sont situées dans la plaine. Alors que Rome, Athènes, Ecbatane, Alise, et une foule de villes et de bourgades fondées par les nouveaux venus (Aryem) ont leur Acropole ou sont tout entières bâties sur les hauteurs. En Gaule les exemples du choix des hauteurs sont innombrables, l'occupation des îles et la construction des cités lacustres, des crannogs appartiennent au même besoin de protection naturelle des agglomérations.

CHAPITRE II

LA CHASSE, LA PÊCHE, LA DOMESTICATION DU BÉTAIL ET L'AGRICULTURE

La chasse. — Chez les peuples les plus primitifs, de nos jours, comme par le passé, la chasse, la pêche et la récolte des plantes et des graines sauvages sont les seuls moyens qu'a l'homme de se procurer sa nourriture; et il en était de même dans les phases les plus reculées de la préhistoire. Les débris qu'on rencontre dans les alluvions ne nous renseignent pas à cet égard en ce qui concerne la vie des populations qui taillaient les coups de poings chelléen et acheuléen, mais dans les cavernes, aux niveaux dits moustiériens, la grande abondance d'ossements des animaux qui, à l'état sauvage, peuplaient alors plaines, vallées et montagnes, ne laisse subsister aucun doute quant aux travaux des troglodytes. Ils étaient chasseurs et certainement aussi pêcheurs: la capture du gibier et du poisson était leur principale occupation.

Cependant la vie n'était pas aussi facile qu'on serait en droit de le croire; car, pendant toute la durée des temps quaternaires, l'homme avait à se mesurer avec de terribles adversaires, soit qu'il luttât contre eux pour assurer sa subsistance, soit qu'il eût à défendre sa propre vie; et ce n'est certainement pas avec l'aide seule des instruments grossiers de silex dont il disposait, qu'il pouvait se rendre maître des pachydermes, des rhinocéros, des bisons et de tous ces grands herbivores dont il faisait sa nourriture habituelle, qu'il était à même de vaincre l'ours et le lion. Assurément, de même que bon nombre de sauvages modernes, il faisait grand usage des lacets, des pièges, de ces fosses dont on use encore dans l'Indo-Chine pour capturer le tigre royal, et de plus, il fabriquait des armes puissantes de bois dur, des épieux, dont peut-être même la pointe était empoisonnée. Une tige de buis ou de chêne convenablement préparée devient, entre les mains d'un homme adroit et vigoureux, un moyen d'attaque très redoutable.

Fig. 81.—Lions et chiens de chasse. Bas-relief du tombeau de Méra, à Saqqarah (VIe dynastie).

Chez les peuplades sauvages modernes, ces sortes d'armes, fort usitées, varient de forme et de nature suivant leur destination. La pique, le javelot, l'épieu garni d'une pointe de silex, d'os, de corne ou simplement d'un bois dur affilé, sont les principaux instruments de chasse des primitifs et, aux temps préhistoriques comme de nos jours, ils servaient aussi bien contre l'homme que pour abattre les animaux sauvages.

Dès avant l'introduction dans nos pays de l'industrie néolithique, l'arc et la flèche avaient certainement fait leur apparition; c'était un grand progrès sur le propulseur, car les projectiles atteignaient de grandes distances, jusqu'à quatre et cinq cents mètres (à l'époque romaine), et permettaient de frapper l'ennemi ou le gibier sans lui donner l'éveil. L'homme pouvait dès lors lutter contre le lion et l'ours sans exposer sa vie autant que par le passé. Cependant, dans les contrées chaudes, le chasseur n'avait pas affaire seulement aux grands carnassiers. En Égypte, le crocodile sortant la nuit des marais venait parcourir les villages en quête de proies, tout comme le font encore les alligators de l'Amérique centrale, et ni la flèche, ni l'épieu n'avaient d'effet sur leur armure. Ces monstres atteignaient parfois d'énormes proportions et, tandis que les habitants réfugiés dans leurs palissades n'osaient pas en sortir, le lion, quittant ses repaires du désert, venait rôder autour des huttes et des enclos du bétail. En Chaldée, le souvenir de ces luttes contre le roi des animaux est demeuré pendant des siècles très vif dans les esprits, la glyptique et la sculpture en font foi; alors que les bas-reliefs égyptiens des premiers temps historiques nous font assister le plus souvent (*fig. 81*) à des exploits cynégétiques plus pacifiques; ce sont généralement des chasses à la gazelle, à l'antilope, ou bien aux oiseaux d'eau, dans les marais. L'arc et le filet jouent le grand rôle.

Dans les kjœkkenmœddings de l'Égypte et de nos pays, dans les cavernes, on trouve des amas considérables d'os brisés, restes de repas que les hommes de ces temps ne prenaient pas la peine d'écarter de leur demeure; et ces débris varient suivant les époques, fournissent, pour chaque temps, la liste des animaux sauvages dont l'homme faisait sa nourriture. À Solutré l'on n'a pas trouvé moins de cent mille équidés, dont les os étaient amoncelés autour des anciennes habitations. Mais, alors que dans les régions extra-européennes on voit sur les rochers figurer l'homme à la poursuite du gibier, ces sortes de représentations n'existent pas chez nous pour les temps quaternaires, bien que nos cavernes soient couvertes de peintures; c'est plus tard seulement, avec l'industrie néolithique, qu'elles se montrent. Cette remarque est d'importance en ce qui regarde l'esprit dans lequel ont été dessinées les représentations magdaléniennes.

L'introduction de l'élevage et de l'agriculture chez les peuples de tous les pays n'a pas arrêté les exploits des chasseurs; mais dès lors, la capture du gibier, n'étant plus indispensable à la vie, n'a plus joué qu'un rôle secondaire dans les occupations. Les néolithiques, semble-t-il, tiraient autant de ressources des animaux sauvages que de leurs troupeaux, si nous en jugeons par les ossements qu'on rencontre dans la vase sous les cités lacustres; et ce n'est que beaucoup plus tard, aux temps historiques, que la chasse est devenue un agréable passe-temps, un luxe que les plus grands rois ne dédaignaient pas. Mais, avec l'apparition des métaux, l'armement devenant plus puissant, l'abondance du gibier diminua et bien des espèces disparurent. C'est ainsi que la cavalerie romaine de Julien le philosophe abattait de ses flèches les dernières troupes d'autruches du désert euphratique, que le lion disparut de la Grèce continentale et de l'Asie mineure, lors des débuts de l'histoire dans ces pays, que les *bos urus* de l'Europe occidentale furent exterminés dans les premiers siècles de notre ère.

Fig. 82. — Faucons de chasse:
1, entravé; 2, libre, Arménie russe. Seconde industrie du fer.

Aux temps de l'industrie du fer, nous voyons paraître dans la Transcaucasie l'emploi du faucon pour la chasse (*fig. 82*), et cet usage si cher à nos seigneurs du moyen âge, est demeuré en vigueur jusqu'à nos jours chez les Orientaux.

La pêche. — Si l'homme poursuivait le gibier, il ne négligeait certainement pas le poisson, alors d'une abondance extrême dans les lacs et les cours d'eau; abondance que nous ne connaissons plus aujourd'hui que dans les pays neufs, où les moyens de pêche modernes n'ont pas encore été appliqués.

Pour les temps les plus anciens, contemporains de l'industrie paléolithique, les documents nous manquent pour apprécier les méthodes de pêche; mais dès l'apparition du harpon, c'est-à-dire dès les débuts des industries archéolithiques, nous sommes assurés que nos prédécesseurs sur le sol des Gaules chassaient le poisson. Quant aux lignes de pêche de ces temps, nous n'en avons pas rencontré de traces; il est juste de dire que l'hameçon pouvait être fait de deux esquilles d'os ou de bois dur attachées ensemble et formant un angle aigu; cependant les microlithes géométriques (Tardenoisien ou Tourassien) paraissent avoir été taillés pour armer des engins de pêche.

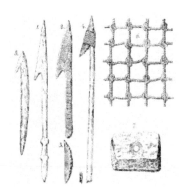

Fig. 83.—Harpons et instruments de pêche.—N°1, Ivoire. N°2, Cuivre (Abydos). N°3, Silex (Hélouan). N°4, Emmanchement du n°3. N°5, Corne de cerf (lac de Neuchâtel). N°6, Robenhausen (Suisse). N°7, Flotteur en bois de pin (Robenhausen, Suisse). (N°s 5, 6, 7, d'après A. de Mortillet.)

Le harpon (*fig. 83*, n°1 à 5), en usage dès les derniers temps quaternaires, se montre dans toutes les industries moins anciennes, jusqu'à nos jours; il est fait d'os, d'ivoire ou de métal, et certains petits instruments de silex qu'on rencontre, à Hélouan (Égypte) entre autres localités, peuvent être considérés comme des armatures de harpons.

Quant aux hameçons (*fig. 84*, n°s 1 à 10), ils se montrent nombreux dans toutes les industries du cuivre et du bronze, affectant les formes que nous leur donnons encore de nos jours.

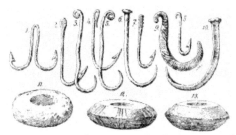

Fig. 84.—Hameçons.—Cités lacustres de Suisse: n°s 1 à 8 et 11 à 13. N° 9, Suse. N° 10, Égypte.

Les filets (*fig. 83*, n° 6) paraissent avec l'industrie néolithique des cités lacustres ou, du moins, est-ce dans les lacs qu'on a jusqu'ici rencontré les plus anciens spécimens de filet. Ils semblent avoir été faits «au pouce» plutôt qu'au «petit doigt». Des morceaux de bois léger (*fig. 83*, n° 7) tenaient lieu de flotteurs, et des cailloux percés (*fig. 84*, n° 11) ou de ces grosses perles de terre cuite qu'on nomme fusaïoles (*fig. 84*, n°s 12 et 13) remplaçaient nos plombs pour les lignes comme pour les filets.

Dans certains pays, riches en lacs et en cours d'eau, ou situés sur les côtes, la pêche était la ressource principale des habitants; les kjœkkenmœddings danois en font preuve et les bas-reliefs qui nous ont été laissés par les Pharaoniques des premières dynasties fournissent de nombreuses représentations de scènes de pêche au filet dans le Nil, ou dans les marais latéraux de sa vallée (*fig. 85*). D'ailleurs les restes de cuisine égyptiens contiennent tous des débris de poissons en grand nombre; et certains de ces os, des vertèbres, indiquent qu'on capturait alors dans le fleuve sacré de véritables monstres, mesurant parfois deux et trois mètres de longueur.

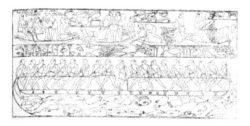

Fig. 85.—Scènes de pêche. Bas-relief du tombeau de Méra, à Saqqarah (IVe dynastie). *Registre supérieur*: 1° Méra en bateau assiste à la pêche, un serviteur le fait boire. À l'avant de la barque un autre serviteur fend les poissons pour les faire sécher; 2° barques de pêcheurs relevant des nasses; 3° deux barques de pêcheurs à la trouble; au-dessous sont des oiseaux pêcheurs. *Registre inférieur*: dix-huit pêcheurs, sous les ordres d'un chef, tirent à terre la senne pleine de poissons.

En Chaldée, pays de fleuves et de marais, voisins de la mer, la pêche était également en grand honneur et, suivant les textes archaïques, les rois légendaires s'y livraient. Aujourd'hui encore, au

Japon, en Chine, dans la Polynésie, voire même certaines régions de l'Europe, la pêche fournit aux habitants une partie fort importante de leur nourriture.

L'élevage. — La domestication des animaux, dans nos régions, débute, pour quelques espèces, à l'époque où l'industrie mésolithique était florissante. Le plus ancien animal domestique semble avoir été le chien, compagnon du chasseur, gardien de la hutte, dont on rencontre les squelettes dans les kjœkkenmœddings danois. Quant aux hypothèses attribuant aux Solutréens le dressage du cheval, de même que toutes les suppositions relatives à la domestication dans les temps quaternaires, elles ne reposent sur aucune base sérieuse. Ce n'est donc, semble-t-il, que fort tardivement, que l'homme fit des animaux des auxiliaires de sa vie et des réserves pour sa nourriture.

Fig. 86. — Le bétail sous l'ancien Empire (bœufs). — Bas-relief du tombeau de Méra à Saqqarah (VIᵉ dynastie).

Fig. 87. — Le bétail sous l'ancien Empire; antilopes, gazelles, hyènes, chacals. — Bas-relief du tombeau de Méra à Saqqarah (VIᵉ dynastie).

À l'époque des palafittes, le cochon, le cheval, le bœuf, la chèvre, le mouton et le chien étaient apprivoisés; le sanglier, le daim, le cerf, un grand bœuf, l'élan, le castor, le chat, le renard, le loup, le putois, la martre, le blaireau et l'ours brun vivaient à l'état sauvage; et

150/273

l'homme, toujours chasseur, ne rapportait le plus souvent à son habitation que les parties les plus utiles du gibier, après l'avoir dépecé sur la place où l'animal était tombé. Cet usage, que nous voyons pratiqué dès les temps quaternaires, et qui s'est perpétué chez les peuples sauvages jusqu'à nos jours, a permis aux zoologistes de distinguer entre les bêtes capturées à la chasse et celles qui, domestiquées, étaient tuées dans les villages. On retrouve toutes les parties du squelette de ces dernières dans les restes laissés aux alentours des habitations, alors que ce sont toujours les mêmes os qu'on rencontre quand il s'agit du gibier.

Quant aux pays d'origine de la domestication des animaux, nous ne les connaissons pas. Certains auteurs, sans preuves d'ailleurs, les placent en Orient; mais il est plutôt à croire qu'elle s'est produite sur un grand nombre de points. Les Péruviens, comme le fait observer M. S. Reinach, avaient domestiqué le lama, et les Astèques, le dindon, avant la conquête espagnole.

Fig. 88. — Antilopes
d'après une fresque Meïdoum
(IIIe dynastie).

En Égypte, j'ai retrouvé, alors que j'explorais les kjœkkenmœddings, non seulement des traces de la domestication des animaux parmi les restes des habitations, mais aussi les enceintes où les Prépharaoniques enfermaient leurs troupeaux pour la nuit, et ces troupeaux étaient composés en majeure parte d'antilopes (*Bubalis buselaphus*), de gazelles (*Gazella dorcas* et *isabella*), de chèvres (*Hircus thebaicus*), de moutons (*Ovis longipes*) et de mouflons à manchettes (*Ammotragus tragelaphus*). Le bœuf était également connu, car on trouve ses restes dans les débris de cuisine.

Reste à savoir si, à cette époque, il vivait à l'état sauvage, ou s'il était domestiqué.

Parmi les troupeaux qui figurent sur les bas-reliefs de l'ancien Empire, on remarque certains bœufs (*Bos macroceros* et *Bos brachyceros*) ainsi que le mouton d'Asie, et leurs squelettes se rencontrent en abondance dans les kjœkkenmœddings de Toukh. Ce bétail a fort probablement été importé à des époques fort anciennes.

Fig. 89.—Peinture rupestre de Cogul
(Espagne), d'après H. Breuil

Pour les autres pays, nous ne possédons pas d'éléments permettant de trancher la question de la domestication des animaux; nous ne savons pas, entre autres, à quelle époque le renne, qui a joué un si grand rôle comme gibier, à la fin des temps quaternaires, est devenu le serviteur de l'homme.

L'agriculture.—C'est aux temps des industries néolithiques, dans les cités lacustres de la Suisse, qu'il faut nous reporter, pour apprécier l'état de l'agriculture; parce que la vase des lacs nous a conservé en fort bon état les substances végétales, alors que dans les autres stations elles ont disparu.

Le Dr Herr, dont les travaux sur la question méritent toute confiance, a constaté que les habitants des cités lacustres récoltaient les noisettes, les prunelles, les fraises, les pommes, les poires, les châtaignes d'eau, les faînes, les glands et le raisin, soit pour leur nourriture, soit pour celle de leurs troupeaux; et plus dernièrement Neuweiler a dressé une liste de près de cent vingt espèces préhistoriques, sans compter les céréales telles que le seigle, l'orge, le froment et l'avoine, qui abondent dans les palafittes, soit en grains, soit en épis. «Les habitants des villages lacustres, dit Sir John Lubbock, cultivaient trois variétés de froment, deux espèces d'orge et deux espèces de millet.»

Nous ne pouvons pas savoir si toutes ces espèces était indigènes, ou si elles avaient été importées d'autres pays tels que la Mésopotamie, contrée où les graminées abondent; constatons seulement qu'on a signalé dans les palafittes de la Suisse le froment égyptien (*Triticum turgidum*) et l'orge à six rangées (*Hordeum hexasticon*), espèce que cultivaient les peuples de l'antiquité en Grèce, en Italie, en Égypte et dans l'Asie antérieure.

Fig. 90. — 1, Statuette de bois
(IIIe dynastie). Dahchour.
2, Monsheim (Hesse Rhénane).
3, Suse.

Dans tous les pays, en Égypte, en Chaldée, en Italie, dans les contrées helléniques, on rencontre, dès les temps les plus anciens de la hache polie, la meule à bras (*fig. 90*) qu'on retrouve également dans les stations mésolithiques et néolithiques, ainsi que dans les palafittes. Cette meule est simplement composée d'une large pierre plate, en roche dure, et d'un broyeur de forme allongée, aplati sur l'une de ses faces. C'est à l'aide de cet instrument primitif, qu'on rencontre d'ailleurs aujourd'hui encore chez quelques peuplades peu avancées, que les gens des cités lacustres fabriquaient cette farine grossière avec laquelle ils faisaient les pains dont on a trouvé bon nombre de spécimens au fond des lacs, sorte de galette sans levain, analogue à celle dont se nourrissent aujourd'hui bien des populations africaines et asiatiques.

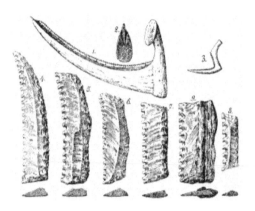

Fig. 91.—1, Faucille en bois armée de silex, d'après W.-M. Flinders Petrie, *Illahum Cahun and Gurob*, pl. III, fig. 27.—2, Coupe montrant le mode d'encastrement du silex et le ciment de bitume.—3, Signe hiéroglyphique d'après une fresque de Meïdoum (IIIe dynastie). Le manche est peint en vert et les dents sont blanchâtres.—4 à 8, Éléments de faucille.—9, Silex montrant encore le ciment de bitume et les traces laissées par le bois du manche.

Mais la découverte la plus curieuse, faite en ces dernières années et relative à l'agriculture préhistorique, est celle de Flinders Petrie en Égypte. Cet archéologue a trouvé une faucille de bois armée sur toute sa partie tranchante de petites lames de silex munies de dents (*fig. 91*). Jusqu'alors on avait pensé que ces instruments de silex, extrêmement abondants dans toutes les stations néolithiques et énéolithiques de l'Égypte, étaient des scies. Il n'en est rien: et sur presque tous ces éléments de faucille aujourd'hui dispersés on reconnaît un polissage spécial des dents, non pas obtenu par friction sur un corps dur, mais causé par une substance souple, la paille, qui, à la longue, a émoussé toutes les arêtes saillantes de l'instrument. En Chaldée (à Yokha), en Élam (à Suse) et à la base de tous les tells, on rencontre ces éléments de faucilles en prodigieuses quantités; presque tous sont usés, tout comme ceux de l'Égypte et patinés par les intempéries depuis leur abandon; on les retrouve en Syrie et en Espagne (*fig. 92*).

Fig. 92. — Abuchal, près Carmona
(Espagne), d'après G. Bonsor.

L'existence de cet instrument de bois, armé de silex, montre combien il importe d'être prudent dans nos appréciations quant à l'usage des silex taillés dont nous ne connaissons pas l'emmanchement.

Avec la venue des métaux nous voyons changer la forme de la faucille; elle diffère quelque peu suivant les pays, mais se présente toujours comme une lame courbée, garnie d'un épais dos saillant (*fig. 93*).

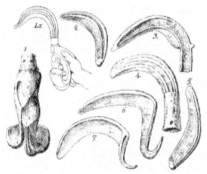

Fig. 93. — Faucilles de bronze: 1, Palafitte de Moringen (Suisse); 2, Corcelette; 3, Guévaux; 4, Athlone (Wessmeath); 5, Jura; 6, Hongrie; 7, Caucase.

L'époque de l'apparition de la charrue (*fig. 94*) ne peut être précisée, parce que primitivement cet instrument dépourvu de socle se composait seulement d'un morceau de bois fourchu, dont l'une des branches était attachée au joug, tandis que l'autre pénétrait dans le sol; ce n'est que tardivement qu'on arma la charrue d'une garniture métallique; on connaît un assez grand nombre de socles de fer. En Égypte cependant on rencontre de volumineux silex taillés que l'on considère comme ayant servi de socles à des charrues.

Fig. 94. — Laboureur et sa
charrue. Gravure rupestre de Bohusland
(Suède), d'après A. Montelius.

Quant aux chars, on les rencontre en Chaldée, en Égypte, en Italie, en Hellade et dans presque tous les pays méditerranéens au cours de l'industrie du bronze. Dans le Nord et l'Ouest européens, ils sont fréquents dès l'apparition du Hallstattien (*fig. 95*), bien qu'existant déjà depuis longtemps; les chars votifs scandinaves en sont la preuve.

Fig. 95. — Char attelé de chevaux sur un vase d'argile incisée
(Industrie du fer). Oerdenburg (Hongrie).

Ces progrès s'opérant peu à peu, soit par suite de conceptions indigènes, soit par contact avec des peuples plus avancés, l'homme, s'attachant au sol qu'il cultivait, modifia son genre de vie et, de chasseur, devint sédentaire; cependant, dans bien des pays montagneux, les besoins de ses troupeaux l'obligèrent à conserver quelque peu de son ancienne existence nomade et à rechercher les pâturages dans les diverses saisons. C'est ainsi que vivent aujourd'hui la plupart des tribus kurdes et tartares de l'Asie antérieure; pour la plupart, elles possèdent leurs villages, bâtis au milieu de leurs terres de culture et de leurs pâturages d'hiver; mais elles quittent ces parages, dès les chaleurs venues, pour gagner la montagne, y reviennent momentanément pour les moissons, au cœur de l'été, puis s'y installent à nouveau, dès que les neiges chassent leur bétail des hauts pâturages.

CHAPITRE III

LE VÊTEMENT ET LA PARURE

D'après les très rares représentations humaines que nous possédons des temps quaternaires, il semble qu'à ces époques l'homme de l'Europe occidentale vivait nu, ou peu s'en faut; car si, par les grands froids, il se couvrait de peaux d'animaux tués à la chasse, ce que n'indiquent pas, d'ailleurs, ses figurations, cela ne l'empêchait certainement pas de s'exposer aux intempéries; peut-être même que la nature, prévoyante à son endroit comme elle l'était pour les pachydermes, l'avait-elle gratifié d'une véritable toison, certaines gravures sur bois de renne permettraient de le penser. Or, s'il en était ainsi dans les régions froides, *a fortiori* n'en pouvait-il pas être autrement dans les contrées chaudes. D'ailleurs, en Égypte, même aux temps de l'industrie néolithique, l'homme ne paraît pas s'être vêtu; les plus anciennes figures nous le montrent nu ou simplement protégé par une sorte de pagne, fait qui se retrouve, de nos jours encore, chez la plupart des peuplades sauvages des pays chauds, et même chez quelques-unes des terres où, comme en Patagonie, le froid sévit avec intensité.

Aux niveaux des industries archéolithiques, dans les cavernes, on rencontre en grand nombre des aiguilles d'os et d'ivoire, et l'on peut en déduire que les gens de ce temps cousaient les fourrures et s'en couvraient le corps lors de la mauvaise saison venue, comme le font encore les Kamtchadales; mais il serait très hasardeux de leur attribuer la connaissance des tissus.

Quoi qu'il en soit, c'est au cours des industries néolithiques et énéolithiques que nous voyons avec certitudeparaître les étoffes. Les Proto-Susiens fabriquaient une toile assez fine. Il est probable même que sous les premiers dynastes de la vallée du Nil on portait de ces étoffes de coton dont nous trouvons des échantillons si bien conservés sur les momies, dès la troisième dynastie. Les sépultures des premiers princes de Haute-Égypte ayant été livrées aux flammes, toutes les matières périssables qu'elles renfermaient ont disparu; et dans les tombes du peuple on ne trouve pas trace de tissus, qui, s'ils existaient déjà devaient être fort précieux.

En Europe occidentale, les gens des palafittes filaient et tissaient le lin, ils ne connaissaient pas encore le chanvre; et ce n'était pas le lin que nous cultivons aujourd'hui qu'ils employaient; c'était une espèce à feuilles étroites (*Linum angustifolium*) qui croît spontanément encore dans les régions méditerranéenes, et que, fort probablement, ils se contentaient, dans les débuts, de récolter dans les prairies.

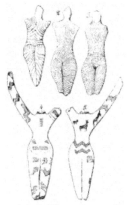

Fig. 96. — 1 à 3 Figurines d'argile,
dessins gravés (Iassy, Roumanie). — 4 à 5,
Figurines d'argile, dessins peints (Toukh, H^{te}-Égypte).

Cependant la nudité semble avoir persisté bien longtemps encore; car la coutume de se tatouer et de se peindre le corps demeura, tant en Europe qu'en Afrique et assurément aussi en Asie, jusqu'aux temps historiques. Il suffira de citer les figurines de terre cuite découvertes en Roumanie (*fig. 96*, n°s 1 à 3) et celles de la Haute-Égypte (*fig. 96*, n°s 4 et 5) représentant des danseuses; toutes appartiennent à l'industrie néolithique ou, au plus tard, énéolithique.

Les ornements corporels sont de deux natures: le tatouage indélébile, obtenu à l'aide d'une pointe faisant pénétrer la couleur sous la peau, et la peinture superficielle. Ces deux procédés sont encore en usage chez tous les peuples primitifs; mais, d'après les figurations qui nous ont été léguées par les hommes préhistoriques, il est impossible de faire la séparation entre les deux procédés. En Égypte et en Chaldée ces usages semblent avoir de très bonne heure perdu beaucoup de leur importance. De même, dans le monde Égéen comme en Crète, si le tatouage et la peinture corporelle existaient, ce ne paraît avoir été qu'à l'état d'exceptions. La peinture, dans tous les pays et en tous les temps, n'a d'ailleurs jamais été qu'accidentelle, et le plus souvent voulue soit par des rites religieux, soit à certains jours seulement.

Fig. 97. — 1 et 2, Mycènes,
3, Cnossos.

Le costume caractéristique des peuples était, dès qu'il fut en usage, extrêmement varié, et il l'est resté jusqu'aux débuts du XIXe siècle, à qui appartient le triste honneur, au point de vue artistique, d'avoir commencé son unification. Mais les habillements en usage aux temps préhistoriques nous sont presque entièrement inconnus, parce que nous n'en pouvons juger que par les très rares représentations parvenues jusqu'à nous et par les figurines archaïques dont les costumes montrent quelles étaient les modes dans quelques pays (*fig. 97*). Pour les autres contrées, nous en sommes réduits à des suppositions basées sur les objets qu'on rencontre dans les tombeaux, mais qui éclairent plutôt sur la bijouterie que portaient hommes et femmes, en ces temps, que sur la forme du costume.

Fig. 98.—Amulettes et collier de l'industrie de la pierre.

1 à 6, Grotte des morts (Gard). 7, Aveyron. 8, Stéatite: dolmen d'Aiguèze (Gard). 9, Coquille de pectuncle: dolmen de Gamat (Lot). 10, Coquille (Dijon, Côte-d'Or). 11, Coquille, os et schiste: dolmen de Vinnac (Aveyron). 12, Luzarches (Seine-et-Oise). 13, Camp de Chassey (Saône-et-Loire). 14, Canine de chien (lac de Constance). 15, Callaïs: dolmen de Carnac (Morbihan). 16, Stéatite: dolmen de Vayssières (Aveyron). 17, Lignite: dolmen de Bessoles (Aveyron). 18, Albâtre: dolmen de Montaubert (Aveyron).

Assurément hommes et femmes se paraient dès les temps des industries quaternaires; mais leur bijouterie, si primitive qu'elle soit, nous est encore presque inconnue; c'est avec les restes des industries néolithiques que nous voyous paraître, dans les sépultures et dans les cités lacustres, de nombreuses amulettes et des perles de colliers (*fig. 98*). En Égypte, dans les tombes néolithiques et énéolithiques, on rencontre fréquemment des colliers composés de perles ou de coquilles, des pendeloques et des bracelets d'ivoire, d'albâtre, de nacre, voire même de silex merveilleusement taillés (*fig. 99*, n° 5). Mais c'est avec l'industrie du bronze que débute la véritable bijouterie.

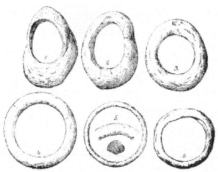

Fig. 99. — Bracelets 1 à 3, Frignicourt (Marne). 4, Albâtre (El Amrah).
5, Silex jaune (Abydos). 6, Nacre (El Amrah).

Le bijou qui présente le plus d'intérêt au point de vue de la variété est la fibule, qui se montre avec l'industrie du bronze et dont l'usage s'est perpétué jusqu'à nos jours; mais avant que la fibule fût connue et dans les pays où jamais elle n'a été en usage, comme l'Égypte, d'autres moyens permettaient d'attacher ensemble deux pans d'étoffe. Dans les sépultures de la première industrie du fer, en Arménie russe, toutes les tombes renferment une grosse épingle; et la chance a voulu que dans l'une de ces sépultures, l'épingle fût encore engagée dans des restes de l'étoffe et entourée du cordon qui la maintenait. L'épingle remplaçait donc commodément la fibule; aussi devons-nous penser que celles qui se rencontrent avec les industries archéolithiques n'avaient pas d'autre destination, soit qu'elles retinssent des peaux, soit qu'elles fussent enfoncées dans les plis d'un vêtement tissé. Plus tardivement encore est venu le bouton, petit morceau de métal muni d'un anneau.

En Égypte, comme en Élam, la fibule ne semble pas avoir été d'usage courant même aux temps historiques, on ne la rencontre jamais dans les tombeaux pré-pharaoniques et proto-élamites; et les dépôts de fondation du temple de Chouchinak n'en contenaient aucune. Cependant elle existe à Moughaïr et à Warka, en Chaldée, dans des sépultures qui passent pour être fort anciennes, mais dont la date est très discutable.

Le type primitif de la fibule est celui dit en archet, dans lequel la tige métallique fait tous les frais: repliée sur elle-même, elle compose l'épingle, son arrêt, son ressort et le dos qui, bientôt, prend une importance ornementale. Dès lors la fibule est faite de plusieurs pièces ajustées sur un motif central parfois très compliqué.

Dans le monde méditerranéen oriental, la fibule semble avoir fait son apparition en même temps que le *péplos* dont elle était le complément indispensable; car ce vêtement féminin, n'étant pas cousu, devait être, sur les deux épaules, retenu par des fibules. Ce bijou ne se montre que vers la fin de l'époque mycénienne, et encore est-il de peu d'usage jusqu'au temps de l'invasion dorienne qui en généralise l'emploi; il est donc permis de penser que le péplos et la fibule sont venus du Nord en Grèce; mais, originairement, la fibule n'était pas spéciale au port du péplos; depuis des temps fort anciens elle était en usage chez les peuples asiatiques du Nord et européens du Centre et de l'Ouest. Elle se montre contemporaine de la plupart des dernières industries du bronze en Italie, comme en Gaule. Dans la Transcaucasie et le Nord-Ouest iranien elle paraît avec le fer. Son absence en Égypte et à Suse vient à l'appui de l'opinion que ce bijou est d'origine asiatique centrale.

Les autres bijoux préhistoriques n'ont qu'un but de parure: ce sont les colliers, les diadèmes, les bracelets, les anneaux de jambes, les bagues, les pendants d'oreilles, les pendeloques et les appliques, pièces métalliques cousues ou fixées à l'aide de crochets sur les vêtements, enfin les ceintures qui, dans certains pays, tenaient en même temps lieu d'armes défensives.

Les plus anciens colliers sont faits de menus objets enfilés; ce sont des perles minérales, de turquoise, de callaïs, calcédoine, agate, cornaline, hématite, d'ambre, etc., des coquilles marines ou fluviales, des graines dures, des grains d'ivoire ou d'os, des perles métalliques, d'or, d'argent, de cuivre ou de fer, suivant les pays et les époques, enfin des grains de verroterie qu'on voit paraître dans l'Europe occidentale aux temps de l'industrie du bronze. En général ces colliers de perles portent au centre, sur la poitrine, soit une amulette, soit un pendentif quelquefois très important, comme le sont les pectoraux égyptiens.

Mais, au temps des métaux, ces pendentifs se multiplient souvent et alternent avec les perles sur tout le pourtour du collier; ils sont faits rarement de pierres, le plus souvent de métal, or, argent, cuivre, plomb, étain, antimoine, etc...

Vient alors le collier métallique rigide, dont le type le plus parfait en même temps que le plus ancien est le torque, très fréquent à toutes les époques et dans presque tous les pays, sauf en Chaldée, en Élam et en Égypte. Il se complique plus tard en s'articulant en son milieu.

Le bracelet, commun à toutes les régions et probablement d'origine fort ancienne, offre des formes très diverses; parfois il est, comme le collier, composé de perles; parfois il est d'une seule pièce et rigide, fait de nacre, de calcaire, de silex même (Égypte), de jayet, d'ivoire, de corne, de pâte, de métal ou de verre. Il se portait suivant les pays au poignet, à la cheville et à l'avant-bras.

La bague ne paraît qu'avec les métaux, dans les débuts et longtemps encore, en certains pays, en Élam entre autres, ce n'est qu'un anneau plus ou moins orné. Ailleurs, dans le monde égéen, par exemple, le chaton prend une grande importance et se couvre de motifs; alors il devient un véritable sceau, et remplace dans les usages courants le cylindre chaldéo-assyrien et le scarabée de l'Égypte qui, durant les temps pharaoniques, n'est pas monté en bague. En Europe occidentale, la bague ne semble pas avoir pris une réelle importance dans la parure avant que se soient répandus les goûts méditerranéens.

L'anneau d'oreilles est aussi ancien que l'industrie des métaux, pour le moins; il se compose tout d'abord d'une simple tige de métal amincie à ses extrémités, puis disposée en cercle; mais bientôt cet anneau se charge, surtout dans le monde hellénique, de pendentifs souvent très importants.

En explorant les sépultures, on rencontre parfois une seule boucle de ce genre, et l'on est tenté de penser que, comme chez certaines populations maritimes de nos pays, on ne portait l'anneau qu'à l'une des oreilles seulement; mais il ne faut pas oublier que parmi les peuples asiatiques il en est beaucoup, aux Indes entre autres, dont les femmes se passent un anneau dans l'une des narines; il se peut que cette pratique ait été en usage dans l'Occident européen et dans beaucoup d'autres régions, aux temps antérieurs à l'Histoire.

Le diadème jouait aussi un grand rôle dans la parure chez les peuples méditerranéens et peut-être de très bonne heure fut-il l'insigne de l'autorité. En Égypte il prit une importance capitale et probablement son usage passa-t-il aux pays helléniques, puis en Italie et en Espagne. L'adoption de la couronne comme emblème de la souveraineté en fut la conséquence.

La ceinture, qui tout d'abord était un simple lien de cuir ou d'étoffe, s'orna vite de motifs métalliques, puis se couvrit tout entière d'une feuille d'or, d'argent ou de bronze; elle devenait dès lors une protection du milieu du corps, et c'est assurément ainsi qu'est venue la pensée de forger des cuirasses couvrant tous les organes essentiels à la vie. Les ceintures métalliques sont nombreuses dans certaines nécropoles de la Transcaucasie, mais on en rencontre également, quoiqu'en petit nombre, dans le monde méditerranéen. C'est de l'Orient septentrional, sans doute, qu'elles sont venues dans nos pays, car on n'en voit ni dans la vallée du Nil, ni dans les pays du Tigre et de l'Euphrate.

Quant aux applications métalliques sur les vêtements, elles varient à l'infini, dans tous les pays; mais c'est surtout le faste asiatique qui en a tiré le plus riche parti, on en rencontre peu de témoins dans nos pays, sauf chez les Mycéniens. Ce sont, en général, de petites feuilles métalliques estampées, des bractéates, percées de trous permettant de les coudre sur les étoffes. L'apogée de ce mode de décoration des vêtements est à Byzance au temps des Basileïs.

Tous les peuples ont apporté dans la fabrication de leurs bijoux non seulement leurs soins, mais leur génie artistique tout entier. Il se sont efforcés d'atteindre l'idéal de leur goût, aussi voit-on varier à l'infini les formes et les motifs ornementaux de la joaillerie. L'ensemble était obtenu par la coulée du métal, ou par son travail au marteau; puis l'ornemaniste s'en emparait et terminait la pièce, soit au burin, soit en y ajoutant des filigranes, et, plus tard, en y incrustant des gemmes.

La gravure, nous l'avons vu, était déjà connue, voire même pratiquée avec grande habileté dans nos pays, dès le temps des Magdaléniens; mais ce ne sont certainement pas les procédés des cavernes qui ont été l'origine des arts du ciseleur et du graveur des civilisations modernes. Tous les peuples de l'Asie les pratiquaient, alors que l'Occident en était encore aux goûts barbares des néolithiques. En Égypte, cependant, tout comme en Chaldée, on ne paraît pas les avoir appliqués au métal dès les débuts de l'industrie du bronze; il semblerait même que, pendant bien des siècles encore, le cuivre n'appelât pas l'attention des artistes, car, ni en Élam, ni dans la vallée du Nil nous ne voyons orner de fines gravures les instruments métalliques. Ce serait à croire que ce goût fût apporté par des peuples qui, en des temps fort anciens, s'installèrent dans l'orient de la Méditerranée, laissant derrière eux, sur le continent, des congénères inspirés par les mêmes goûts artistiques, ou du moins familiarisés avec les mêmes procédés.

Le filigrane, travail beaucoup plus avancé, qui exige la connaissance de la soudure, ne vint que beaucoup plus tard. On le connaissait en Égypte dès une époque très reculée, et sous la XIe dynastie il atteignait une rare perfection. À Suse il figure dans des dépôts de fondation fort anciens, de telle sorte que, sans crainte d'exagération, on peut assurer que ce genre de travail était courant au XXXe siècle avant notre ère, en Chaldée comme dans la vallée du Nil. Ces pays l'ont transmis aux Égéens qui, par la Grèce, l'ont introduit dans l'Europe occidentale et centrale; cependant quelques peuples venus de l'Asie centrale par les steppes de la Russie paraissent l'avoir reçu à une assez basse époque d'ailleurs, lors de leur contact avec l'Iran, en même temps que l'art d'enchâsser les pierres précieuses dans les bijoux et d'émailler la joaillerie, procédé qui n'est qu'une simplification de l'incrustation dans le métal des minéraux colorés ou brillants; mais cette bijouterie compliquée n'est venue chez les peuples du Nord que bien longtemps après que l'Occident eut appris, par les Hellènes et les Étrusques, l'usage du filigrane.

TROISIÈME PARTIE

LE DÉVELOPPEMENT INTELLECTUEL ET LES RELATIONS DES PEUPLES ENTRE EUX

CHAPITRE I

LES ARTS CHEZ LES PEUPLES SANS HISTOIRE

Dans l'étude des productions de l'art, il convient d'envisager deux éléments distincts: les procédés techniques et les conceptions artistiques, éléments d'ordres complètement différents, mais appelés à s'entr'aider l'un l'autre et à s'influencer mutuellement. La technique est en dépendance des connaissances industrielles du peuple, alors que le goût artistique est une disposition naturelle, spéciale à chacun des groupes humains, faisant partie de leur patrimoine. Les artistes, pour rendre leur pensée, mettent à profit les procédés pratiques résultant du développement industriel de leur nation.

Dans l'un comme dans l'autre de ces deux éléments, les dispositions indigènes sont fréquemment influencées par des apports étrangers, mais le génie de la race n'en demeure pas moins personnel dans l'ensemble de ses productions. C'est ainsi que les Hellènes, bien qu'ayant emprunté à l'Égypte bon nombre de ses idées, ont cependant suivi leurs dispositions ancestrales, sont sortis des règles de l'art asiatique et pharaonique et, en retournant vers la nature seule, ont atteint les sommets de l'art, alors que d'autres peuples, leurs congénères, moins bien doués que les Grecs, sont demeurés inférieurs au point de vue de l'esthétique, tout en ayant reçu de l'étranger les mêmes enseignements.

Avant d'entrer dans l'étude des formes chez les nations diverses, nous dirons quelques mots des procédés employés pour rendre les pensées artistiques, parce qu'il importe de montrer que la production de l'œuvre a toujours été soumise aux exigences des moyens de l'exécuter. Cette technique a progressé au cours des siècles et chez les diverses nations, en même temps que la culture générale se développait; elle repose tout d'abord sur des moyens fort simples qui vont en se compliquant jusqu'à nos jours et, suivant leur développement, ont permis aux artistes de réaliser plus ou moins complètement leur idéal.

Le dessin, la gravure, la peinture et la sculpture sont les branches principales de l'art. Les trois premières sont liées intimement entre elles; la troisième, bien que reposant également sur le dessin, est cependant indépendante. Il ne manque pas, en effet, de sculpteurs qui, tout en n'étant que de très médiocres dessinateurs, exécutent en relief des œuvres impeccables.

Le dessin, qu'il soit ornemental ou naturaliste, est inné chez tous les peuples; il se rencontre dans tous les temps et dans toutes les parties du monde, exécuté de manière plus ou moins heureuse, mais toujours par les mêmes procédés; l'artiste en obtient le tracé au moyen de couleurs plus foncées ou plus claires que celle de la surface sur laquelle il travaille; nous le voyons, dès les temps les plus anciens, faire usage du charbon, de l'ocre ou de la craie. Ces couleurs, il les applique soit à sec, soit humides et, dans ce dernier cas, fait ses premiers essais de peinture.

Il semble que dès les époques les plus reculées, tant dans les cavernes que sur les rives du Nil et dans l'Orient méditerranéen, le dessin se soit fait, comme c'est encore l'usage de nos jours, en deux phases: la première, celle de l'esquisse comprenant un tracé vague, à la recherche de la forme, et la seconde, celle du dessin définitif, dérivé de l'esquisse, et rendu à l'aide d'une couleur différente.

La gravure vient ensuite fixer le dessin définitif; elle y parvient en creusant le trait au moyen du burin, que l'instrument soit fait de pierre ou de métal. De la gravure découle la sculpture en bas-relief, qui n'a pour but que de donner l'impression des reliefs le plus souvent très atténués, il est vrai, mais suffisants pour la satisfaction de l'œil et de l'esprit.

La peinture est un autre moyen de rendre les reliefs, mais dans les arts primitifs elle ne joue pas encore ce rôle et se borne à traduire par des «à plat» la couleur de l'objet; c'est, en effet, tardivement seulement que l'artiste a songé à figurer les ombres, et, par suite, à donner à sa création un relief apparent. Jadis, en Grèce, en Égypte, la couleur était appliquée aux bas-reliefs et aux statues; les représentations qui couvrent les murailles des mastabas pharaoniques, les statues elles-mêmes étaient peintes de couleurs conventionnelles, se rapprochant le plus possible de celles de la nature, et la matière dont étaient faites ces sculptures ne jouait de rôle que par sa dureté plus ou moins grande, et, par suite, par la conservation plus ou moins longue qu'elle assurait à l'image. La gravure des dessins, dans les cavernes, semble avoir été exécutée dans le même esprit, pour lutter contre l'altération. Chez les Hellènes, comme en Égypte, les bas-reliefs, les statues et les motifs architecturaux étaient revêtus de couleurs.

Avec l'arrivée des métaux, les procédés de figuration se développent. Le burin joue dès lors le principal rôle; bijoux, armes et ceintures de bronze, ustensiles divers sont gravés à la pointe et la statuaire, très grossière dans les temps des industries de la pierre, prend son essor dans quelques pays. Les formes générales des instruments et des figurines de métal s'obtiennent aisément par la fonte, puis les objets sont ciselés et gravés quand il y a lieu.

On conçoit sans peine combien était ardu le travail des matières dures, alors que l'homme ne disposait encore que d'outils de pierre. Les troglodytes sciaient les blocs d'ivoire, les os et la corne, et c'est ainsi que la matière, se dégrossissant, présentait les formes d'ensemble du sujet. Le travail s'achevait au moyen de racloirs, de burins et de polissoirs. Mais quand vint le ciseau métallique, non seulement le travail fut plus rapide, mais le sculpteur eut toutes les facilités pour rendre son outil docile à ses volontés.

Aux matières dures sur lesquelles l'artiste exerçait son talent vinrent plus tard se joindre celles dont la plasticité permettait le modelage; l'invention de la céramique lui fournit un nouveau moyen puissant de rendre sa pensée.

Du jour que l'homme connut le feu, il s'est trouvé à même de découvrir l'industrie céramique; l'argile durcie par son foyer lui enseignait que la terre une fois cuite ne se délite plus sous l'action de l'eau. Cependant, nous l'avons vu, ce n'est qu'aux temps de la culture mésolithique que la poterie entre réellement dans les usages, bien qu'elle ait été déjà connue des Magdaléniens de la Belgique.

Ces premiers essais céramiques sont extrêmement grossiers, si nous en jugeons par les fragments qui nous sont parvenus des cavernes voisines de Liège; mais le principe était découvert et appliqué. Avec le Campignien, nous nous trouvons en présence d'une fabrication plus raisonnée: les nombreux tessons qu'on rencontre dans les fonds de cabanes de la vallée de la Bresle sont, parfois, en terre fine et bien choisie, le plus souvent en pâte grossière, et, très fréquemment, les uns comme les autres sont ornés de dessins géométriques incisés. L'emploi du tour est encore inconnu à cette époque; il n'apparaîtra que plus tard, avec la pierre polie et dans certains pays seulement.

Dans l'étude de la poterie, il y a lieu de distinguer entre trois éléments nettement séparés, indépendants les uns des autres, mais dont l'ensemble constitue l'art céramique que ce soit dans ses produits les plus perfectionnés, ou dans ceux les plus grossiers, éléments susceptibles chacun de nombreuses variations; aussi l'étude générale de la poterie est-elle extrêmement compliquée.

Tout d'abord il convient d'envisager la technique de la fabrication du vase, la matière plastique dont il est fait, la préparation de la pâte et le degré de cuisson, car les poteries peuvent être durcies près du feu, cuites au four, ou vitrifiées à une température élevée.

Puis vient la décoration qui, elle-même, se compose de la technique et de l'art. La technique comprend les procédés de dessin, les engobes, les émaux, et ces moyens, très nombreux, suivent en général, dans un même pays, une filiation en rapport avec le progrès des industries diverses. Quant à la forme même de l'ornementation, elle dépend des goûts des peuples, se modèle sur leur art, traduisant par des moyens spéciaux les conceptions esthétiques de l'époque et de la région.

Durant toute la période préhistorique, dans les pays divers, les procédés techniques de l'ornementation des vases sont, dans l'ordre général de leur apparition: l'incision, avec ou sans remplissage des creux par une pâte blanche ou colorée, le lissage de la pâte du vase elle-même ou d'une engobe argileuse le recouvrant, l'estampillage, le moulage, l'addition d'ornements en relief, la peinture à froid, les couleurs étant mélangées avec un corps gras ou de la colle, et la peinture fixe obtenue par fusion au feu des couleurs appliquées sur la pâte crue ou déjà cuite, enfin l'émail. À ces procédés, tous en usage en divers temps et divers pays aux époques préhistoriques, sont venus se joindre aujourd'hui, grâce aux découvertes récentes, un très grand nombre de moyens dont il n'y a pas lieu de parler au point de vue de la préhistoire. On doit observer cependant que la porcelaine à pâte dure était inconnue, que certaines couleurs telles que le bleu, le vert, le violet n'étaient pas en usage et que les pâtes anciennes, sauf de très rares exceptions, sont toujours naturelles, c'est-à-dire sans mélange intime de matières colorantes. La couleur est donc le plus souvent superficielle; on l'obtenait au moyen des minéraux, du fer et du manganèse seulement. Les Égyptiens ont, de très bonne heure, découvert la porcelaine; mais ils l'employaient en pâte tendre couverte d'une engobe qui se vitrifiait à basse température; ce procédé se retrouve dans les poteries très anciennes de la Chine. En Élam et en Chaldée l'usage de l'engobe vitrifiée se montre dès le temps de Naram-Sin et se poursuit jusqu'aux époques Sassanide et Arabe.

Quelquefois, mais très rarement, les potiers ont incrusté leurs vases de minéraux brillants ou transparents avant ou après la cuisson. Certains vases de l'industrie du fer, en Arménie russe, portent à leur fond un éclat d'obsidienne transparente fixé dans l'argile molle et passé au feu avec la pâte.

Dans les temps les plus anciens, le potier ne poursuivant qu'un but utilitaire, la forme du vase est voulue par l'usage auquel ce récipient était destiné. Aussi ne rencontrons-nous que peu de variétés dans les profils des céramiques primitives, et ces variétés sont-elles nées spontanément dans tous les pays. Mais peu à peu les goûts s'affinant d'une manière indépendante chez les divers peuples, on voit paraître des caractères régionaux, aussi bien dans les formes que dans les motifs ornementaux. Puis, quelques centres plus favorables au progrès, plus développés que les pays qui les avoisinent, influencent les goûts des peuplades demeurées en retard et, des progrès locaux accrus des influences extérieures, résulte bientôt une si grande variété d'écoles céramiques, qu'il serait impossible de les passer toutes en revue, même sommairement, sans sortir du cadre qui nous est tracé. Nous ne parlerons donc que des plus dignes d'intérêt, soit par leur ancienneté, soit par l'importance de leurs caractères.

C'est donc au temps de l'industrie mésolithique que, pratiquement, apparaît la poterie et, dès ses débuts, elle porte des ornementations incisées suivant les vieux principes appliqués à l'os dès les temps de la culture archéolitique: mais dans la pâte molle l'œuvre est aisée, la pointe entaille profondément l'argile et, pour donner plus d'importance au dessin, on remplit souvent les incisions d'une pâte colorée ou blanche.

Forcément le maniement de la glaise molle donne à l'artiste l'idée de façonner des figurines, et le modelage prend naissance. L'apparition du métal lui donne une plus grande importance encore. On modèle la cire, et bientôt on fond des statuettes à «cire perdue»; on fait des moules dans lesquels il suffit de presser de l'argile molle pour obtenir, en grand nombre, des figurines: c'est ainsi qu'en Chaldée et dans l'Élam, en Égypte se fabriquaient les ex-voto, les pendeloques, les statuettes divines et funéraires.

Mais, dans quelques pays, dans la vallée du Nil, en Susiane, en Syrie, dans l'Orient méditerranéen, aux décors incisés de la céramique, on ajoute la peinture avant ou après cuisson de la pâte: c'est ainsi que naquit cet art très spécial qui, chez les Grecs et les Italiotes, atteignit une si grande perfection technique et artistique. Peu à peu ces procédés gagnèrent l'Europe centrale et occidentale; mais là, pendant longtemps encore, la peinture, très grossière, ne fut qu'un complément de l'ornementation ciselée.

Bien loin de nos pays, dans les deux Amériques, la peinture céramique était également née dans des foyers spéciaux; le Mexique et le Pérou excellèrent dans cet art.

À l'origine de toutes les civilisations métallurgiques, le métal ne fut que fondu et martelé, travaillé au repoussé ou buriné, embouti, et les diverses pièces d'un même objet étaient reliées entre elles au moyen de chevilles et de rivets; ce n'est que très tardivement qu'apparut la soudure; à une époque que nous ne saurions préciser, on l'employa pour le bronze et pour l'or; alors, dans la bijouterie parut le filigrane dont les joyaux égyptiens de la XIIe dynastie et de l'Élam nous fournissent de très remarquables et très anciens exemples. Les Grecs et les Étrusques ont tiré de ces procédés des œuvres incomparables longtemps après leur apparition chez les Orientaux, le filigrane se montre dans les pays du Nord, en Scandinavie, chez les tribus germaniques, et, chez ces peuples il constitue même la base de la technique dans la bijouterie.

Cet aperçu sommaire permet de se rendre compte de l'évolution qui s'est produite dans les moyens à la disposition de l'homme pour traduire ses conceptions artistiques. Cependant il y a lieu d'observer que certains peuples ne disposant que de procédés techniques très primitifs, n'en ont pas moins laissé des œuvres très remarquables dénotant un goût très pur et une grande sûreté d'observation de la nature, alors que d'autres hommes, bien que secondés par des moyens très supérieurs, sont toujours demeurés dans la médiocrité quant à leurs vues esthétiques. La technique, bien que jouant un grand rôle, n'a donc pas eu d'influence décisive sur le développement des arts; ce sont les aptitudes des divers groupes humains qui ont créé les différentes écoles artistiques capables d'avenir.

Cette constatation faite, nous passerons en revue les diverses manifestations de l'esprit esthétique, en les rangeant d'après les époques auxquelles elles se sont produites et suivant leurs milieux, en montrant les caractères de chacune d'entre elles et, autant que faire se peut, la valeur des influences étrangères dans chacune des écoles. Dans une semblable étude, les arts céramiques doivent être confondus avec les autres produits du goût; car ils obéissent aux mêmes inspirations, et ne diffèrent que par la nature des matières ornées et par les procédés techniques du dessin. Aussi, contrairement à ce dont sont coutumiers tous les ouvrages sur ces sujets, ne ferons-nous pas de distinction de chapitre, et traiterons-nous en même temps de tous les produits artistiques, qu'ils soient céramiques ou autres. Toutefois nous serons obligés de parler souvent encore de la technique, en raison de l'influence qu'elle a exercée sur le travail des artistes.

C'est au milieu de débris des industries archéolitiques que se trouvent les premières œuvres d'art découvertes jusqu'à ce jour; aucune trace d'efforts artistiques ne s'est encore rencontrée accompagnant les diverses phases des industries paléolithiques: et quand les goûts esthétiques se montrent, il semble qu'ils aient été cultivés déjà depuis de très longues années, ils ne sont plus au berceau.

Nous ne possédons, il est vrai, que de rares épaves de l'œuvre des artistes quaternaires, tout au moins en ce qui regarde l'Aurignacien, industrie que nous devons, jusqu'à plus ample informé, considérer comme ayant assisté à l'aurore de ces arts. Mais, pour les derniers temps quaternaires, nous sommes infiniment plus riches, grâce aux magnifiques découvertes de ces dernières années.

Devons-nous penser que l'art magdalénien descend de celui des Aurignaciens? Bien des raisons nous portent à rejeter cette hypothèse. D'après leurs caractères et leurs tendances, ces deux écoles diffèrent notablement, et le Solutréen ne nous a pas laissé de documents en nombre suffisant pour établir le passage, ces diverses tribus n'étaient probablement pas de même origine ethnique et, en conséquence, leurs aptitudes étaient différentes. Toutefois il est à penser que les essais des Aurignaciens n'ont pas été sans exercer une influence, tout au moins quant aux procédés techniques, sur les peuplades qui leur ont succédé dans nos cavernes.

La caractéristique des temps où florissaient les industries archéolithiques est l'Art; et ses manifestations nous apparaissent, montrant qu'il a déjà atteint une grande perfection; encore ne connaissons-nous pas ses chefs-d'œuvre. On a pensé que ces goûts étaient nés dans l'occident de l'Europe, sous l'influence de civilisations étrangères: et M. Sophus Müller est allé jusqu'à proposer de voir dans nos arts quaternaires de l'Occident un rayonnement de la civilisation égyptienne pré-pharaonique. Il n'est rien qui puisse légitimer une semblable hypothèse; d'ailleurs une telle supposition entraînerait au point de vue chronologique, des concordances auxquelles nous ne sommes pas autorisés.

Il ne semble pas être nécessaire de torturer la chronologie pour rattacher nos civilisations à de si lointains foyers; car rien ne s'oppose à ce que les goûts esthétiques soient nés dans nos propres pays, s'y soient développés dans des cantons qui jusqu'ici ne nous ont pas encore livré leurs secrets, et que les tribus artistes, changeant de place, soient venues habiter nos cavernes, que par influence leurs arts se soient répandus autour de leur domaine, ou bien que, changeant elles-mêmes d'habitat, elles aient laissé de leurs traces dans des régions beaucoup plus étendues que celles qu'elles occupèrent en un même temps. Il serait donc téméraire de chercher, dès aujourd'hui, l'origine de cette culture, de même qu'il serait prématuré de vouloir classer définitivement les œuvres d'art quaternaires, soit suivant la nature de leur exécution, soit d'après leur âge relatif ou leur distribution géographique. Chaque jour apporte de nouvelles découvertes, qui parfois bouleversent toutes les idées admises jusque-là: nous n'en sommes encore, pour ces questions, qu'à la période dans laquelle la science doit se contenter d'enregistrer les documents.

Piette, nous l'avons vu, a proposé de créer une période glyptique parce que, dans ses fouilles, au niveau aurignacien de Bassempouy, il a rencontré bon nombre de statuettes d'ivoire représentant pour la plupart des femmes nues; mais ces constatations sont très localisées, et ce n'est pas de l'absence presque complète d'autres œuvres artistiques qu'il faut déduire que la sculpture sur ivoire était seule en usage à l'époque où florissait l'industrie aurignacienne; la gravure ne fait pas absolument défaut dans les couches aurignaciennes et solutréennes.

En réalité, dit Déchelette, l'art quaternaire a compté deux phases distinctes: celle du style archaïque ou primitif et celle du style libre ou évolué. Réaliste et naturaliste dès son origine, il conserve ce même caractère pendant toute la durée de son développement, bien que la dégénérescence des types introduise peu à peu dans ces créations des formes conventionnelles, parfois même d'un schématisme obscur.

Fig. 100. — Statuettes quaternaires. — 1 Villendorf (Autriche): Aurignacien ou Solutréen. Musée de Vienne. — 2 et 2*a*, Bassempouy (Landes). — 3 à 5, Aurignaco-solutréen: 3 et 3*a*, Grotte de Grimaldi à

Menton; 4 et 4*a*, Homme (?). Bassempouy (Landes); 5, Rochebertier (Charente.)

Il ne me semble pas possible de suivre Déchelette dans cette classification: car le caractère artistique des figurines aurignaciennes paraît résulter non pas de l'archaïsme, mais bien de conceptions relatives à la fertilité de la femme, conception semblable à celle des Chaldéens primitifs, et cette pensée semble ne plus exister dans l'esprit des Magdaléniens; ce serait donc à des mobiles très différents qu'ont obéi les artistes à ces deux époques.

Fig. 101.—Représentations gravées de l'homme.—1 et 2, Laugerie Basse(Dordogne): gravés sur bois de renne. 3. Mas d'Azil (Ariège). 4, La Madeleine. 5 et 6, Marsoulas (Hte-Garonne): sur rochers.

Les figurines aurignaciennes présentent des caractères stéatopygiques très accentués (*fig. 100* n°s 1 et 3), ce qui, d'une part, les rapproche des statuettes céramiques de la vallée du Nil et de la Chaldée, et d'autre part de la conformation physique des Hottentotes; nous nous trouvons donc en présence de conceptions d'un caractère religieux ou bien de la représentation fidèle de la nature. Toutefois, dans le même gisement à Bassempouy, se trouvaient également des modèles plus élancés, se rapprochant des formes régulières de la femme (*fig. 100*, n° 4) et aussi une figurine de jeune fille portant une longue chevelure (*fig. 100, n° 2*). Ces sculptures montrent, principalement la tête de jeune fille, un réel talent; elles sont très supérieures aux représentations humaines laissées par les Magdaléniens (*fig. 100, n° 5*), car à l'époque de ces derniers, nous ne rencontrons que des images très grossières, gravées sur os, sur ivoire (*fig. 101, n°s 1 à 4*) ou sur les rochers (*fig. 101, n°s 5 et 6*). On remarquera d'ailleurs que hommes comme femmes paraissent être figurés couverts de longs poils et que leurs cheveux ne semblent pas être crépus comme dans la statuette aurignacienne de Villendorf. Il n'y aurait donc pas identité dans les types ethniques qui ont servi de modèles.

Fig. 102. — Mammouth (Font de Gaume).

Parmi les très nombreux dessins et les sculptures sur os et ivoire que nous possédons de l'art magdalénien il en est extrêmement peu figurant l'homme, et ces dessins sont tous d'une barbarie extrême. Le Magdalénien qui, comme nous l'allons voir, était passé maître dans la représentation des animaux, se montrait d'une extraordinaire inhabileté dans le dessin anatomique de l'homme; là, peut-être, est la cause de la grande rareté des figurations humaines.

Fig. 103. — Bison (Altamira).

Sauf quelques cervidés en pierre découverts à Solutré, les représentations animales que nous connaissons actuellement appartiennent toutes au Magdalénien; elles sont sculptées, gravées ou peintes. Dans le premier cas elles ornent des instruments d'usage et sont de petite taille; dans le second, elles sont soit tracées sur des plaques de pierre, d'ivoire, d'os ou de corne, et ont alors de médiocres dimensions, soit gravées sur les rochers, alors elles se présentent de toutes les grandeurs, jusqu'à la taille naturelle, même quand elles figurent de grands animaux.

Le nombre des sculptures, des gravures et des peintures représentant les animaux aujourd'hui connues, est très considérable, grâce surtout aux magnifiques relevés de MM. Breuil et Obermaier, et chaque jour on découvre de nouvelles cavernes dont les parois sont couvertes de peintures. Presque toujours, dans la gravure et la peinture les figures se recouvrent les unes les autres, sans que l'artiste eût pris soin de respecter le sujet déjà tracé sur la surface qu'il avait choisie; il en résulte souvent un enchevêtrement de motifs divers. Ailleurs les sujets sont isolés, tout comme dans la sculpture. On connaît aussi quelques compositions d'ensemble, figurant des groupes d'animaux et non plus un fouillis de dessins en désordre.

Fig. 104. — Rhinoceros tichorinus (Font de Gaume).

Le mammouth que nous possédons sculpté, gravé sur ivoire et peint sur les parois des cavernes (*fig. 102*), est représenté couvert d'une épaisse toison, armé de défenses puissantes; ses formes trapues sont généralement exagérées à dessein pour donner l'impression de la masse.

Le bison, très fréquent dans les cavernes (*fig. 103*), représenté le plus souvent de grandeur naturelle, et parfois en bandes nombreuses, est généralement fort habilement rendu; l'encolure très large donne une impression de grande force, la tête petite est enfoncée dans les épaules; les cornes sont menaçantes et la finesse des membres rend à merveille l'agilité, la rapidité à la course de ce grand ruminant, dont les Magdaléniens faisaient leur gibier favori.

Fig. 105. — Ours gravé sur un caillou roulé.
Grotte de Massat (Ariège). $^{1}/_{2}$ gr.

Puis vient le rhinocéros (*R. tichorinus*) (*fig. 104*), plus rarement figuré, mais dont les formes sont habilement rendues; le corps long, les membres courts, les deux cornes allongées, cet hôte des forêts est encore de nos jours un terrible lutteur; jusqu'en ces derniers temps la peau du rhinocéros résistait à la balle, et l'on se demande comment l'homme quaternaire, sommairement armé, pouvait se rendre maître de ce dangereux animal.

Fig. 106. — Sanglier (Altamira).

L'ours, très nombreux en ces temps, figure cependant très rarement dans les grottes (*fig. 105*), mais les rares dessins gravés que nous en possédons ne sont pas moins d'une grande exactitude; tous les caractères de l'animal sont rendus par quelques traits et son attitude elle-même, si caractéristique, est traduite avec une surprenante fidélité.

Fig. 107. — *Cervus elaphus* (Altamira).

Le sanglier (*fig. 106*) n'est pas très commun dans les peintures des cavernes; celui que nous reproduisons d'après H. Breuil, et qui est peint dans la grotte d'Altamira, montre l'animal chargeant ou fuyant. Les proportions sont heureuses, et le mouvement est très habilement rendu.

Le *Cervus elaphus* (*fig.* 107, 108), très abondant à cette époque, grande ressource des chasseurs, figure sur une multitude d'objets; il est sculpté ou gravé, peint sur les parois des rochers. Cet animal est toujours admirablement rendu, quelle que soit sa position, et les artistes modernes auraient grand'peine à lui donner cette vie qu'on rencontre dans la plupart de ses dessins quaternaires.

Fig. 108. — *Cervus elaphus.* Cav. Lorthet. Coll. Piette (Musée de Saint-Germain). Gravé sur bois de renne.

Fig. 109. — Chevreuil (Font de Gaume).

Le chevreuil (*fig.* 109) est très rarement représenté; toutefois dans tous les dessins que nous possédons de cet animal, les proportions sont heureuses et l'attitude est bonne.

Le cheval, l'un des animaux les plus répandus de ces temps, fait parfois les frais de décoration d'une caverne presque entière. On le voit sous toutes ses formes, au repos et en course (*fig.* 110), isolé ou en bandes, et dans tous les cas il est dessiné avec justesse. Sculptée, son image (*fig.* 111) ne peut avoir la souplesse du dessin, mais les proportions sont bien gardées. Une tête du Mas d'Azil le montre hennissant (*fig.* 112); ce morceau de sculpture est l'un des plus remarquables objets d'art parmi ceux que nous possédons des temps quaternaires.

Fig. 110. — Cheval (Font de Gaume).

Le loup, bien que rare, figure également dans les cavernes (*fig. 113*) et ne le cède en rien aux autres représentations d'animaux, quant à l'exactitude du dessin et au rendu de l'allure.

Toute la grande faune de nos pays à ces époques se trouve représentée: *Bos urus* et bison, bouquetin, antilope Saïga, cerf, chamois, chèvre, élan, sanglier, ours et renard, glouton et phoque sont gravés côte à côte sur les rochers, avec les grands pachydermes, le rhinocéros et le cheval. Ces représentations sur les parois des cavernes semblent être à peu de chose près contemporaines. Cependant, de nouveaux dessins venant le plus souvent recouvrir les anciens, on peut croire que les types divers ont été successivement figurés, suivant leur prédominance dans les vallées et les forêts.

Les poissons n'ont pas été oubliés par les artistes: on les trouve gravés (*fig. 114*) et l'on reconnaît le brochet, la truite, l'anguille.

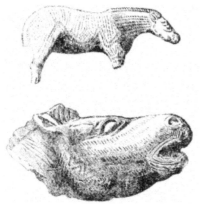

Fig. 111 et 112. — Chevaux: 1, Grottes des Espeluges (Lourdes), Magdalénien; 2, Mas d'Azil.

Par contre, les végétaux (*fig. 115*) sont bien pauvrement représentés dans l'art des cavernes; à peine cite-t-on quelques rares gravures figurant des plantes qu'il n'est pas possible d'identifier. D'ailleurs chez tous les peuples primitifs les pensées artistiques se sont attachées à la faune, mais bien rarement à la flore qui, ne rendant que des services secondaires, n'exigeant pas de lutte pour s'en emparer, attirait moins les regards que ces animaux qu'on devait poursuivre, contre lesquels il fallait combattre pour obtenir leur chair et posséder leur peau, leur ivoire, leurs cornes, toutes matières dont on fabriquait alors les ustensiles nécessaires à la vie. Mais les Magdaléniens n'ont pas seulement copié la nature; ils sont allés plus loin dans leur progrès artistique et ont introduit dans le décor l'ornementation géométrique, produit de la stylisation (*fig. 116*) chez un peuple ayant connaissance du grand art, efforts d'enfance chez celui qui ne sait pas observer la nature et la rendre par le dessin.

Fig. 113. — Loup (Font de Gaume).

Fig. 114. — Poissons (Lorthet).

Dans ces ornements nous voyons figurer la spirale, dont la présence aux temps quaternaires réduit à néant toutes les théories sur sa migration à des époques postérieures.

Fig. 115. — Végétaux:
1 et 2, Laugerie Basse;
3, Le Veyrier (H^te-Savoie);
4, Grotte du trilobite (Yonne).

L'ornementation géométrique n'est pas très abondante; cependant, on la rencontre, gravée sur des os et des bois de renne; probablement entrait-elle dans le tatouage et la peinture corporelle, dans la parure, et il est à croire que les peaux dont on se vêtissait, pour se garantir contre les froids intenses de ces temps, étaient, elles aussi, enluminées de peinture représentant des ornements géométriques.

Là s'arrête ce que nous savons des arts quaternaires, mais avant de les quitter il convient d'ajouter encore quelques mots au sujet des procédés techniques en usage pour la sculpture, la gravure et la peinture.

Les matières employées pour la sculpture étaient (*fig. 117*) l'ivoire de mammouth, l'os, les bois de cerf et de renne, les roches tendres telles que la statéite, l'albâtre gypseux, les calcaires et autres substances qu'entamait assez aisément le silex.

L'ouvrier faisait grand usage de la scie; c'est avec elle qu'il coupait les os, et détachait des blocs d'ivoire ces longues esquilles qu'il transformait en aiguilles, en épingles, en poinçons, voire même en poignards; le grattoir et les lames à encoche permettaient ce travail; puis il reprenait la scie pour tracer les ornements géométriques, et le burin pour graver les traits courbes. Une foule d'instruments de formes diverses lui étaient nécessaires pour sculpter les matières dures; mais le silex était là, sous sa main, il le façonnait suivant ses besoins.

Nous ne possédons plus, aujourd'hui, que les images tracées sur les parois des cavernes, parce qu'elles se sont trouvées à l'abri des intempéries, mais il est à penser que les rochers extérieurs, les falaises portaient également des représentations, probablement moins confuses que celles des grottes, parce que l'artiste, disposant de grandes surfaces, n'était pas, comme dans les cavernes, contraint à dessiner sur d'anciennes représentations. Ces œuvres extérieures communes à tous les peuples primitifs, dont on rencontre les traces dans tous les pays du monde, sont aujourd'hui perdues dans nos régions.

Fig. 116. — Dessins magdaléniens de type géométrique. 1, 2, 5, Lourdes; — 3, 4, Les Espelongues d'Arudy (Htes-Pyrénées); — 6, 7, 8, 9, Laugerie Basse (Dordogne); — 10, Marsoulas (Hte-Garonne); — 11, Saint-Marcel (Indre).

Si nous en jugeons par les représentations qui figurent dans nos grottes, l'artiste esquissait son sujet probablement au charbon, ou à l'ocre; puis il arrêtait ses lignes au burin de silex, sans les graver profondément; enfin, avec une pâte composée d'ocre rouge ou de minerai noir de manganèse, et d'huile ou de graisse, voire même d'eau, il donnait à son œuvre le coloris. Dans ces peintures, deux tons seulement figurent le rouge et le noir qui, par leur mélange, fournissent le brun. Nous ne voyons jamais le vert ni le bleu, qu'on eût pu cependant obtenir avec les minéraux du cuivre; mais n'oublions pas que seules les couleurs minérales ont pu se conserver au travers des âges, et que tous les tons obtenus au moyen de substances organiques, animales ou végétales, ont disparu. Nous pouvons donc nous faire une idée nette de l'art du dessin, mais le coloris nous échappe. Ce coloris devait jouer un grand rôle; car il permettait à l'artiste de travailler sur une paroi déjà recouverte de figures qu'il faisait aisément disparaître en les lavant d'abord, puis en les recouvrant de tons vifs. Ainsi s'explique l'enchevêtrement des représentations sur les rochers de nos grottes.

On sait que les tapis orientaux sont tous colorés au moyen de teintures d'origine végétale, et que, dans nos industries tinctoriales encore, malgré les découvertes de la chimie, les végétaux n'ont pas cessé leur rôle, bien loin de là.

Il est à remarquer que les Magdaléniens ne se contentaient pas des œuvres purement artistiques, mais qu'ils adaptaient l'art à l'ornementation des objets usuels, comme l'ont fait les Chaldéens, les Égyptiens et les Grecs primitifs, les Mexicains, les Australiens, les Mincopies et les Hyperboréens; d'ailleurs, pour la plupart, les peuples barbares ont appliqué l'art aux objets de la vie courante. Nous possédons, des cavernes, de très nombreux instruments, des armes, dans lesquels les motifs artistiques, d'exécution très soignée, sont souvent déformés, comprimés par les nécessités de l'usage. De même, dans la plupart des ivoires japonais et chinois, les motifs se plient soit à la forme originelle de la matière, soit aux commodités d'emploi de l'instrument. Il tombe sous le sens que ces conceptions artistiques très primitives sont nées chacune chez les peuples qui nous en ont transmis les témoignages, et qu'inspirées par l'esprit pratique, elles n'ont entre elles rien de commun.

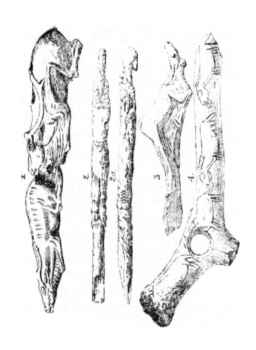

Fig. 117.—Sculptures quaternaires: 1, Bruniquel (Tarn-et-Garonne); 2, Mas d'Azil (Ariège); 3, Laugerie Basse (Dordogne); 4, La Madeleine (Dordogne).

Avec la fin de l'industrie magdalénienne les arts disparaissent soudain, sans que nous puissions être certains des causes de cet abandon. Quelques efforts étaient encore à faire, dans l'étude anatomique de l'homme et dans celle du règne végétal, pour que les populations de l'Ouest européen parvinssent au *grand Art*: car elles étaient certainement mieux douées que les peuples (Chaldéens, Égyptiens, peut-être même que les Hellènes) dont nous avons reçu les principes de l'art moderne. Non seulement elles possédaient au plus haut degré l'esprit d'observation, mais elles avaient encore la conception du rendu par des procédés simplifiés à l'extrême. Comme le Japonais, l'Égyptien et surtout le Grec de la belle époque, le Magdalénien savait rendre son impression par un seul trait; le détail qui, chez les Orientaux et chez nous-mêmes, a porté tant de préjudice à l'esthétique, était pour lui secondaire; la ligne, l'attitude dominaient chez ses artistes. La disparition de l'art magdalénien a été un grand malheur pour l'humanité qui, sans ce désastre, eût rapidement progressé, et la belle période du siècle de Périclès fût survenue, peut-être, quelques milliers d'années plus tôt.

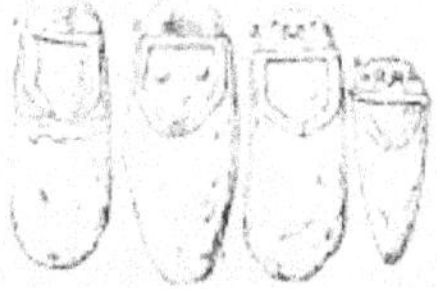

Fig. 118. — Représentation de l'homme
à l'industrie du bronze (Italie).

Nos observations jusqu'à ce jour, au point de vue de l'art quaternaire, n'ont porté que sur l'occident de l'Europe; il est à penser, d'ailleurs, que l'aire occupée par les artistes magdaléniens ne s'étend pas fort loin; car les populations qui occupaient le bassin méditerranéen n'appartenaient pas toutes à des races susceptibles de profiter des enseignements d'un peuple supérieurement doué. La disparition de cette école, déjà fort évoluée, montre que si elle est due à une invasion de nos pays, ce qui semble être fort probable, les nouveaux arrivés n'étaient pas aptes à recevoir le progrès artistique. N'en a-t-il pas été d'ailleurs de même quand les tribus germaniques se sont précipitées sur l'empire romain? Si, à cette époque, les arts n'ont pas entièrement disparu, c'est que la grande majorité de la population, nombreuse alors, est demeurée d'esprit gréco-latin.

Fig. 119. — Première phase de céramique peinte susienne et
céramique rustique incisée.

En quittant l'art quaternaire de l'Europe occidentale, nous sommes obligés de nous transporter en Orient pour retrouver les arts; car, dans nos pays, le goût esthétique a disparu et les manifestations informes qui, après un long hiatus, succèdent à l'art des cavernes, appartiennent aux temps de l'industrie néolithique, c'est-à-dire sont de beaucoup postérieures aux origines artistiques de la Chaldée, de l'Élam et de l'Égypte.

Les premiers hommes venus se fixer sur les monticules qui devaient plus tard porter la grande ville de Suse, la capitale de l'Élam, connaissaient le cuivre, nous l'avons dit, et s'en faisaient des armes en même temps qu'ils taillaient encore le silex et l'obsidienne. Ces colons étaient déjà d'une culture très avancée, ils se vêtaient de tissus: l'oxyde des haches de cuivre de leurs tombeaux nous en a conservé les empreintes; ils étaient agriculteurs, éleveurs et se montraient fort habiles dans la fabrication des vases de pierre; les roches les plus dures, aussi bien que la stéatite et l'albâtre calcaire ou gypseux obéissaient également à leur ciseau. Enfin, ils apportaient en même temps l'un des plus beaux arts céramiques de la préhistoire humaine.

Les vases proto-susiens faits d'une pâte fine, sont tournés, très réguliers et fort élégants de forme; ils sont couverts de fines peintures noires ou brunes suivant le degré de cuisson, et ces motifs figurent des animaux et des plantes, représentations déjà très stylisées (*fig. 119*, n°s 1 à 7), par conséquent éloignées de plusieurs siècles du naturalisme originel. Toutes les sépultures de la nécropole primitive de Suse renferment de ces vases et ne contiennent aucune céramique d'autre nature; cependant, dans ces couches profondes, à quelques mètres seulement au-dessus des graviers en place géologique, on trouve fréquemment des tessons de poterie incisée (*fig. 119*, n°s 8 et 9), ornée de dessins géométriques, de ces pâtes grossières, mal cuites, de ces motifs primitifs que nous avons coutume de ranger dans les industries néolithiques. Les proto-Susiens avaient donc, pour leur usage courant, conservé les modèles des anciens temps; mais ils ne les considéraient pas comme assez précieux pour les faire accompagner leurs morts dans l'autre vie. Il est à penser que les animaux et les végétaux stylisés des vases de la nécropole avaient une valeur religieuse ou magique: nous reviendrons à ce sujet en parlant des conceptions philosophiques (ch. XIV).

Ce n'est pas en Susiane, ce n'est pas non plus en Chaldée qu'est née cette curieuse céramique; elle est arrivée toute formée sur les rives de la Kerkha; or elle ne figure pas les animaux qui vivaient alors dans le pays des deux fleuves, l'hippopotame, le rhinocéros, peut-être même l'éléphant; son motif principal est le bouquetin aux longues cornes, animal des montagnes, absent en Chaldée et dans la plaine élamite, encore abondant, de nos jours, dans toutes les chaînes de l'Asie antérieure. On en doit donc conclure que c'est ailleurs, dans des districts montagneux, que sont nés les premiers rudiments de l'art proto-susien; mais où? dans quelle région? Nous l'ignorons encore. Toutefois la présence du métal, le cuivre, nous reporte vers le massif montagneux du nord, vers l'Anatolie, l'Arménie, la Transcaucasie, berceau, croyons-nous de la métallurgie.

Fig. 120. — Seconde phase de la céramique peinte susienne.

À cette belle poterie, succède celle d'une autre école: la pâte est plus grossière, la peinture moins fixe, mais de deux couleurs, le rouge et le brun, et le naturalisme reprend, mélangé aux motifs géométriques; nous nous trouvons encore en présence de stylisations (*fig. 120*), mais avancées à tel point qu'elles deviennent incompréhensibles (cf. *fig. 120* dessin de droite). Ces vases sont parfois de grande taille, on les trouve aussi bien à Suse qu'à Tépèh Aliabad, dans le Poucht è Kouh.

Après cette seconde phase, la peinture céramique disparaît pour toujours de l'Élam, quoique lentement. À l'époque de sa naissance l'histoire n'a pas encore commencé, ce n'est que dans les assises situées beaucoup plus haut, dans les ruines de Suse, que paraissent les plus anciens textes des Patésis.

Fig. 121. — Vase peint de Palestine.

La première de ces céramiques semble être très spéciale à l'Élam; quant à la seconde, on en rencontre des vestiges en Chaldée, dans le Louristan, le pays des Bakthyaris et jusque dans les tells du sud-ouest du plateau iranien. Son extension paraît avoir été très grande, car, vers l'occident, elle semble avoir tout au moins influencé la Palestine (*fig. 121*) et la Phénicie.

Quelle est la cause de la disparition de ces arts? Nous l'ignorons et sommes réduits à ce sujet à des conjectures. Nous n'avons pas encore retrouvé le passage entre les deux phases de cette céramique peinte, et la dernière école ne s'éteint que graduellement, ne disparaît tout à fait qu'après l'aurore de l'Histoire; cependant M. Ed. Pottier considère la seconde comme dérivée de la première. Nous verrons au sujet des écritures, qu'un autre usage spécial à l'Élam a survécu pendant quelques siècles encore: celui des signes proto-élamistes qui, peu à peu, ont été supplantés par l'écriture sémitique, fait qui permet de penser que la seconde école céramique est entrée en agonie lors de l'arrivée des Sémites dans la Basse-Chaldée et l'Élam: cette conquête prit place à des époques très anciennes, car en ces temps on faisait encore, en Élam, usage de la pierre polie, en même temps que du cuivre et de quelque peu de bronze.

Si l'Élam cessa de fabriquer des vases peints de la seconde période, il n'en fut pas de même dans le reste de l'Asie antérieure, où cet art s'était répandu. Nous en retrouvons en effet les traces en Assyrie, en Palestine et en Syrie, en Cappadoce, puis dans les îles de la mer Égée. Mais là se pose un grave problème que seule la chronologie peut résoudre. La technique des vases peints est-elle venue de Chaldée en Syrie ou de l'île de Crète, comme bien des archéologues le pensent?

Une grande indécision règne dans les évaluations chronologiques en ce qui regarde l'histoire des temps les plus anciens de l'Égypte, de la Chaldée, de la côte asiatique et des îles de la Méditerranée; toutefois, mettant de côté des dates aussi discutées, ne devons-nous pas penser qu'un art qui s'est répandu jusqu'à la région d'Ispahan et d'Hamadan vers l'orient, ne peut avoir eu son foyer au milieu de la mer Méditerranée, et que c'est plutôt en Susiane qu'on doit chercher son origine? La céramique de la Palestine et de la Syrie présente d'ailleurs plus d'affinités avec celle de l'Élam préhistorique qu'avec celle des îles.

Ainsi l'art en Élam, dès ses débuts, est extrêmement stylisé et présente des caractères très spéciaux à ce pays; il descend du naturalisme, et est agrémenté de quelques motifs géométriques; mais la plupart de ces derniers ornements ne sont peut-être que des stylisations dont nous ne saisissons pas l'origine.

Dans la vallée du Nil nous rencontrons, avec les industries néolithiques et énéolithiques, une céramique tout aussi remarquable que celle de l'Élam non pas par sa pâte, mais par ses formes, comme par son ornementation; cependant la technique de ses peintures diffère complètement de celle de Suse: ce n'est plus un enduit durci au feu qui couvre la surface des vases, c'est une peinture à froid, faite bien certainement au moyen d'une couleur broyée avec de l'huile, de la graisse ou de la colle, et, les matières organiques s'étant détruites avec le temps, il ne reste plus qu'une couche pulvérulente. Il ne faut pas oublier que ces vases étaient destinés aux sépultures et non aux usages de la maison. Les sujets de décoration sont très variés; certains types qui par leur forme imitent les vases de pierre, si nombreux alors en Égypte, sont parfois ornés de mouchetures rappelant les cristaux des roches dures (*fig. 122*, n°s 12 et 3) ou de spirales inspirées par les calcaires nummulithiques (*fig. 122*, n°s 4 et 8), ou les veines de l'agate et de la cornaline (*fig. 122*, n°s 12 et 15), minéraux si communs dans le désert. Mais, plus fréquemment, les peintures des vases funéraires représentent la barque du mort (*fig. 122*, n° 18; *fig. 123*, n°s 1, 2, 3 et 9), des danses rituelles (*fig. 123*, n° 1), des vases de libations (*fig. 123*, n°s 8, 9) ou des scènes de la vie. C'est ainsi que nous voyons débuter des pratiques artistiques qui, plus tard, prendront une si grande extension dans l'ornementation des mastabas de l'ancien empire.

Mais là ne se borne pas la céramique de l'Égypte. Dans les tombes néolithiques et énéolithiques, comme dans les kjœkkenmœddings, on trouve des vases rouges, lissés, à bord noir, en très grand nombre; d'autres, couverts d'un engobe rouge lissé et portant une ornementation peinte en blanc et fixée au feu, technique qui se retrouve dans les îles de la Méditerranée. Enfin l'on voit les pâtes incisées avec ou sans remplissage des traits; ces sortes de vases, quoique rares, se rencontrent encore au temps du roi Snéfrou, c'est-à-dire jusqu'à la troisième dynastie.

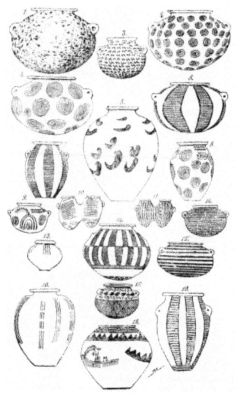

Fig. 122. — Céramique égyptienne prédynastique.

Fig. 123.—Céramique égyptienne peinte prédynastique.

Avec l'apparition des premiers pharaons, la céramique à peintures rouges cesse brusquement. Nous avons fait la même remarque pour l'Élam où, après la seconde phase des vases peints, vient une poterie grossière. En Égypte, c'est, au début de l'ancien empire, la taille des substances dures qui domine; elle est à son apogée quand cesse la céramique peinte. Le tombeau de Négadah et ceux d'Abydos renfermaient, malheureusement à l'état de fragments, de véritables merveilles de l'art lapidaire, de petits vases de cristal de roche, de quartz laiteux, de cornaline, d'agate, voire même d'obsidienne, substance dont l'extrême fragilité ne permet plus qu'on fasse usage aujourd'hui. Ces sépultures ne contenaient aucun vase peint.

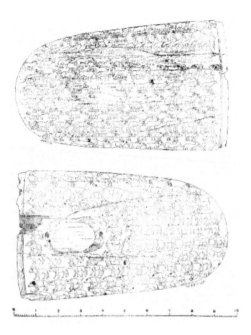

Fig. 124. — Manche en ivoire de poignard en silex, représentant la faune de l'Égypte au temps du début du régime pharaonique (découverte de Henri de Morgan à Hassaya, près d'Edfou). Lignes a partir du haut. 1, Éléphants; 2. Autruches, Girafes; 3, Panthères; 4, Capridés; 5, Chacals; 6, Antilopes; 7, Porcs-épics; 8, Bœufs; 9, Hippopotames; 10, Antilopes; 11, Éléphants, Salmonidés; 12, Capridés; 13, Panthères; 14, Capridés, Chien; 15, Ânes; 16, Antilopes; 17, Chiens et Chacals; 18, Bœufs; 19, Porcs ou Sangliers; 20, Bœufs.

Nous avons vu que les pré-pharaoniques étaient d'une grande habileté dans la taille de l'ivoire et de la pierre et qu'ils sculptaient et gravaient avec adresse de nombreuses représentations animales et humaines. Nous citerons seulement ici le manche d'ivoire d'un poignard en silex, découvert par Henri de Morgan dans la nécropole d'Hassaya, près d'Edfou. Cette magnifique pièce est, sur toute sa surface, recouverte de figurations d'animaux, on y voit toute la faune de l'Égypte de ces temps (*fig. 124*).

S'ils étaient devenus experts dans le travail des roches et de l'ivoire, les gens d'Égypte aux temps énéolithiques n'étaient pas moins habiles à manier les métaux; un autre couteau de pierre, garni d'une feuille d'or en guise de manche, montre qu'ils savaient repousser avec talent le métal précieux (*fig. 125*). Toutes ces œuvres artistiques des débuts de l'Égypte font preuve d'une grande liberté de style; mais elles s'éloignent d'autant plus de la nature que s'écoulent les temps. C'est qu'aux siècles des industries néolithiques et énéolithiques, l'artiste n'était pas encore astreint à suivre ces canons religieux qui, peu à peu, ont fait naître cet art si particulier des temps pharaoniques. Cette évolution prit place de très bonne heure; à la troisième dynastie elle était accomplie déjà, et désormais le dessin comme la sculpture furent réglés dans les moindres détails par des lois immuables. C'est la stylisation spéciale à l'Égypte qui se poursuit en s'accentuant jusqu'aux siècles où Rome était maîtresse dans la vallée du Nil; aussi les œuvres les plus naturelles, les plus largement conçues appartiennent-elles à l'ancien empire.

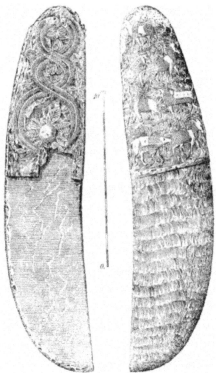

Fig. 125. — Couteau de silex blond garni d'une feuille d'or ornée au repoussé.

Nécropole de Saghel-el-Baglieh (?), Haute-Égypte (Musée du Caire).

Dans les îles méditerranéenes on retrouve la technique de tous les vases dont nous venons de parler à propos de l'Élam et de l'Égypte, sauf toutefois les peintures rouges fragiles de la haute vallée du Nil; dans les îles, ces divers genres de poterie se rencontrent avec les industries énéolithiques qui semblent avoir été celles des premiers habitants de la Crète, de Chypre et de toutes les terres qui devinrent plus tard le domaine des Hellènes; ils montrent un art du potier encore rudimentaire (*fig. 126 et 127*), et, là aussi, c'est avec le métal que débutent les véritables essais artistiques. Mais si, dans le monde méditerranéen, la technique est la même qu'en Asie et en Égypte, les goûts artistiques sont très différents dès les premières phases de la peinture céramique (*fig. 128*).

Fig. 126. — Poterie incisée des Cyclades.

Fig. 127. — Poterie incisée de la mer Égée: 1, Cyclades; 2, Chypre; 3, Milo.

Le monde égéo-mycénien, bien qu'ayant été largement influencé par l'Égypte et par l'Asie, n'en montre pas moins un goût personnel très accentué. Le naturalisme fait la base de la plupart des travaux artistiques, mais les tendances sont très spéciales, différentes de celles dont il vient d'être parlé, complètement étrangères à celles des temps quaternaires dans l'Occident européen. Nous ne nous étendrons pas ici sur ce sujet qui doit être traité avec tout le développement désirable dans le tome IX de l'*Évolution de l'Humanité*. Ces arts ont joué un très grand rôle dans tous les pays méditerranéens, en Italie, en Espagne, en Gaule et jusque dans l'Europe centrale.

Avant de parler de l'Europe, jetons encore un coup d'œil sur l'Orient, sur le nord de la Perse et sur la Transcaucasie, pays dont les arts céramiques diffèrent complètement de ceux de la Chaldée, de l'Élam, de la Phénicie et de la Grèce, qui, se reliant aux conceptions des peuples du Nord, ont en certains cas, joué un rôle important dans la culture européenne, en dehors des influences méditerranéenes; car beaucoup des peuples caucasiens, et plus généralement asiatiques, faisaient partie jadis de groupes dont certaines fractions ont envahi l'Europe, alors que d'autres s'arrêtaient en chemin.

Fig. 128. — Vase de Kamarès (île de Crète).

Quand on s'éloigne de ces régions pour pénétrer au cœur de l'Asie, dans le nord de la Perse, la Transcaucasie et la Sibérie, on se trouve en présence de deux conceptions artistiques très distinctes, l'une correspondant à l'industrie du cuivre et du bronze, dans les dolmens du Nord iranien, ne comportant qu'une ornementation géométrique fort simple, l'autre dans laquelle le principal motif est la figuration des animaux; ce dernier art se rencontre en Osséthie (*fig. 131*), au talyche russe et persan et dans l'Arménie russe avec le fer (*fig. 132*). La spirale joue alors un rôle très important, et le swastika devient plus fréquent que par le passé.

En Sibérie, dans les districts de Minoussinsk et de Krasnoïarsk, vers les frontières de la Mongolie, dans l'Altaï et jusqu'à l'Oural et à la Volga, pays où les gisements de cuivre sont extrêmement nombreux, on a trouvé, soit dans les sépultures, soit isolément, de très nombreux objets dans lesquels les représentations animales jouent le principal rôle décoratif. Les figures sont soit moulées, faisant partie des instruments et des armes, soit sous forme de statuettes, soit gravées au burin dans le métal, sur les objets divers, haches, poignards, vases, ceintures métalliques; et le goût comme la technique sont exactement ceux qui, de nos jours, guident encore les ciseleurs persans. On est tenté de voir dans l'apparition de cet art très caractérisé, venant supplanter l'ornementation géométrique, l'indice de l'arrivée des Iraniens sur le plateau persan, parmi ces populations d'origine inconnue, dont nous parlent les textes des rois d'Assour.

Fig. 129.—Chien et sanglier, d'après une fresque du palais de Tirynthe.

Nous devons constater que cet art naturaliste paraît être demeuré complètement en dehors de la Chaldée, de l'Assyrie, de l'Égypte et de tout le monde occidental. Il n'y a donc pas lieu de faire intervenir son influence dans le développement du naturalisme méditerranéen (fig. 129).

Mais, si nous comparons cet ensemble artistique à celui qui s'est développé dans nos pays occidentaux, au début de l'industrie du fer, durant cette période qu'on désigne sous le nom de hallstattienne, on est frappé des analogies sans nombre qu'on relève entre l'art naturaliste oriental et celui de l'Occident. Fréquemment les formes des armes et des instruments sont les mêmes, quant aux motifs et aux procédés d'ornementation, principalement dans la gravure, ils sont identiques et spéciaux à tel point qu'on ne peut s'empêcher d'établir un rapprochement entre ces deux ensembles qui, d'après les découvertes dans le bassin du Danube et l'Ukraine, se rejoindraient au nord du Caucase, par les steppes russes.

Cette civilisation du fer, en Transcaucasie, a été précédée par une autre plus simple et dont l'art appartient au système géométrique, civilisation qui semble être dérivée de celle du bronze, alors qu'en Occident le Hallstattien succède directement au bronze par une rapide transition.

Dans ces conditions, il semble que le fer, qui était depuis longtemps connu en Asie, avant l'arrivée des artistes naturalistes, n'a peut-être pénétré en Europe qu'avec les Hallstattiens, venus d'Orient chez nous, par les steppes russes et la vallée du Danube.

Toutefois il y a lieu de tenir compte à cette époque des influences méditerranéenes qui, fort probablement, sont venues modifier quelque peu les coutumes des naturalistes de l'Asie.

Cette industrie, on s'accorde non sans vraisemblance à l'attribuer aux Celtes. Il s'ensuit donc que les Celtes, avant leur arrivée en Europe, auraient habité ou envoyé des colonies dans les pays du sud de la mer Caspienne, soit qu'ils y fussent venus du Nord par Derbend ou le Dariall (pays des Ossèthes), soit qu'en partant de la Transcaspienne, ils aient longé les montagnes de l'Elbourz, pour venir dans les pays de l'Araxe. Puis la branche méridionale de leur race se serait soit fondue, soit retirée vers le nord, laissant dans l'Iran leurs goûts et leurs méthodes naturalistes encore en vigueur aujourd'hui chez les graveurs persans. Cet art si caractéristique du Hallstattien se serait, dans l'Occident européen, effacé devant un goût très supérieur, celui des peuples méditerranéens, qui domine à partir de l'époque dite de la Teine.

C'est au début du premier millénaire avant notre ère qu'on place la naissance du Hallstattien dans nos pays. C'est donc plus anciennement que cet art s'est montré dans la Transcaucasie; peut-être quelques siècles seulement, peut-être un millénaire auparavant. D'ailleurs les Hallstattiens orientaux ont vraisemblablement appris à connaître le fer en Transcaucasie, puisqu'il existait dans ces pays avant leur venue; et les sépultures de l'Osséthie ne seraient alors que les témoins du passage des Hallstattiens au travers du Grand Caucase, pays où le cuivre à l'état naturel est beaucoup plus abondant que le fer, ce qui expliquerait la rareté de ce dernier métal dans la nécropole de Koban.

Ce ne sont là certainement que des conjectures; mais la grande diffusion d'un art aussi spécial qu'est celui du Hallstatt ne peut être considérée comme l'effet de simples coïncidences.

Malheureusement, jusqu'à ce jour, les recherches sont bien peu avancées, tant en Transcaucasie qu'en Perse et dans l'Asie centrale. Des fouilles ont été pratiquées en Osséthie, dans l'Arménie russe et dans le talyche russe et persan; là se bornent aujourd'hui nos recherches. Toutefois nous constatons que les peuples du Nord vivaient complètement en dehors de ceux du Sud, et que les civilisations si florissantes de Babylone, de Suse, de Ninive et d'Ecbatane n'ont pas influencé les peuples dont nous avons découvert les tombes dans les nécropoles du Nord.

Dans le nord de l'Asie antérieure, on ne rencontre que de très rares traces d'une céramique peinte toute spéciale, dans les tombeaux contenant des armes de fer; la poterie ornée de dessins au lissoir domine et l'ornement incisé n'est pas rare (*fig. 130*). Avec l'apparition du fer, nous constatons la présence de nombreux vases présentant des formes animales, chevaux, bœufs, oiseaux; mais, de même que dans la ciselure, nous sommes en présence d'un style spécial, d'origine altaïque si nous en jugeons par les découvertes faites en Sibérie au cours de ces dernières années.

Fig. 130. — L'industrie du fer en Osséthie. Figurations d'animaux.

En Europe occidentale et centrale, les débuts de la céramique nous montrent des vases, généralement à fond plat, légèrement évasés, irréguliers (*fig. 133*), faits de pâte grossière et mal cuite à l'air libre dans les foyers; les tessons de cette poterie sont, en général, composés de deux couches extérieures brunâtres et de la partie centrale, à peine cuite et grisâtre; la terre en est à peine pétrie et mélangée de grains de sable.

Fig. 131. — Figurations gravées sur des ceintures de bronze des
nécropoles de l'Arménie russe. Industrie du fer.

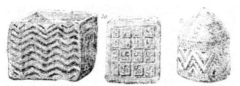

Fig. 132. — Poterie incisée. Nécropole de Djonu (Talyche russe).

Fig. 133. — Poteries grossières:
1, Tertre Guérin (Seine-et-Marne);
2, Dolmen de Châtêau-Larcher (Vienne)
d'après A. de Mortillet

Fig. 134. — Vases néolithiques;
1 à 3 et 5 à 10, Chassy (Saône-et-Loire);
6, Bohême;
4, 11 et 12, Bretagne.

Plus tard, avec les perfectionnements de l'industrie néolithique, la technique s'améliore peu à peu; les formes se compliquent (*fig. 134*), deviennent même parfois assez élégantes, et l'ornementation paraît; on l'a déjà rencontrée sous forme d'incisions au cours du Campignien, elle se complique en ponctuations (*fig. 134* nos 9, 10 et 12); viennent les vases cordés (*fig. 134*, n° 12), c'est-à-dire ornés de l'impression d'une corde enroulée sur la pâte encore molle; puis le potier écrase sur son vase de petites boulettes d'argile et en forme des dessins (*fig. 134*, nos 5, 7 et 8). Mais ce ne sont là que des exceptions; car dans presque tous les pays, c'est l'incision qui domine; parfois même elle devient très artistique, comme en Scandinavie, où elle est particulièrement remarquable dès les temps de la pierre polie. Avec le bronze, la céramique se perfectionne encore; depuis longtemps le tour est en usage et, peu à peu, les formes s'inspirent de celles du monde hellénique. En Italie méridionale, en Sicile, en Espagne, voire même dans le sud de la Gaule, les arts méditerranéens ont eu une grande influence sur l'Occident, dès l'apogée de la Crète et, par voie de terre (*fig. 138, 139*), les formes mycéniennes ont gagné l'Europe centrale; de telle sorte que, lors de l'apparition du fer, la forme des vases, les motifs des dessins, les procédés techniques ne sont plus qu'un mélange de la culture indigène et de l'art méditerranéen. On peint les vases, mais sans cette habileté des peuples helléniques, et, le plus souvent, ces œuvres de potier ne sont qu'un coloriage peu stable des ornements incisés.

Fig. 135. — Ornementation néolithique
d'après la Céramique.

Fig. 136. — 1, 2, Chypre; 3, Hissarlik; 4, Île de Moen (Danemark); 5,
Île de Seeland.

Fig. 137. — L'industrie du fer en Transcaucasie. Ornementation des
vases (Hélénendorf, près Yélisavetpol).

Partout en Europe, dans les derniers temps protohistoriques, l'influence méditerranéene se fait sentir; mais elle s'exerce chez des peuples très variés comme origine, comme goûts artistiques; il en résulte une multitude d'écoles, variétés sans nombre, dont les mouvements des peuplades compliquent encore l'étude. En Gaule seulement, on constate l'existence de nombreuses provinces et, pour les mêmes districts, d'écoles successives, dont les phases correspondent aux mouvements des populations, à l'ouverture de nouvelles voies commerciales, à des événements militaires, et à une foule d'autres causes qui souvent nous échappent.

Fig. 138. — Buchheim (Duché de Bade).

En Occident et dans le nord de l'Europe, les temps préhistoriques se terminent au cours de la civilisation du fer, de l'industrie dite de la Tène. Les arts alors sont le produit des goûts indigènes très largement influencés par l'art gréco-étrusque et grec; on voit encore des motifs et des procédés anciens sur les vases incisés; mais aussi la peinture céramique et la sculpture portent ce caractère spécial, dérivé de l'hellénisme, qui, dans les pays septentrionaux, se conservera jusqu'au Moyen Âge.

Fig. 139. — Burzenhof (Wurtemberg).

Somme toute, en dehors de l'Élam, de l'Égypte et du monde grec, chez qui nous rencontrons de véritables écoles artistiques, très nettement caractérisées par la technique comme par l'art, les goûts, dans l'Ancien Monde, sont encore très confus, et la raison en est que nulle part, chez les nombreux peuples dont il nous est resté des traces, nous ne rencontrons la même originalité que dans les grands centres de l'Orient.

Fig. 140.—Les arts de l'industrie de la Tène. 1, Turoe (Cté de Galway, Irlande); 2, Kermaria, près Pont-l'Abbé (Finistère); 3, Hoch-Redlan (Prusse); 4, Betheny (Marne); 5, Glastonbury (Somerset); 6, Roanne (Loire); 7, Marne; 8, Roanne (Loire); 9a, Matzhausen (Palatinat); 9, frise d'animaux de 9a.

Mais le Nouveau Monde ne doit pas être négligé; car certaines régions de l'Amérique, le Mexique et le Pérou, ont eu des écoles non moins remarquables que celles de l'Asie et de l'Égypte. Là, nous sommes en présence d'un monde à part sans relations avec le reste de l'Univers, évoluant sur lui-même; cette évolution a produit les mêmes résultats que dans l'Ancien Monde; car on trouve en Amérique la poterie incisée, lissée, toutes les variétés de nos continents, et enfin la céramique peinte; les procédés techniques sont les mêmes; seules diffèrent les conceptions artistiques. Quant à l'époque de ces œuvres, nous ne pouvons pas nous en faire une idée basée sur des estimations sérieuses.

L'expérience du Nouveau Monde montre combien il convient d'être prudent dans les hypothèses relatives aux influences, surtout quand il s'agit des procédés d'ordre simple. La même pensée a pu venir chez bien des peuples divers en des temps différents. Les caractères de la céramique primitive, de celle qui ne comporte pas la peinture, ne peuvent être considérés comme concluants au point de vue chronologique, quand il s'agit de peuples différents ou de régions diverses.

D'ailleurs, pour toutes choses relatives aux arts et en particulier pour la céramique, nous sommes encore d'une grande ignorance, en ce qui regarde la plus grande partie de l'Ancien Monde; nous avons vu que pour la Transcaucasie, la Perse, la Russie nous ne possédons que de vagues informations limitées à quelques districts et à quelques peuples; mais au delà, plus loin vers l'Orient, notre ignorance est complète.

CHAPITRE II

LES CROYANCES RELIGIEUSES, LE TOTÉMISME ET LA MAGIE

Deux principes semblent régner déjà sur les esprits aux temps où les occidentaux de l'Europe en étaient aux industries paléolithique et archéolithique: le respect des morts, par suite, une croyance à la survie, et peut-être aussi le totémisme, s'appliquant, comme chez les populations primitives modernes, aux événements de l'existence.

Dans les grottes de Grimaldi, et dans beaucoup d'autres cavernes, on a trouvé le mort enterré près de son foyer, entouré des objets qui lui étaient familiers. Cette coutume, qui s'est continuée jusqu'à la fin de l'usage de la pierre taillée, et qui, après l'apparition des métaux, a pris plus de force encore, montre, à n'en pas douter, que nos précurseurs sur le sol de la France possédaient déjà des notions sur le culte des morts, croyaient à la vie future et, en conséquence, à une puissance supérieure à celle des humains. Cette notion, d'ailleurs, n'est pas spéciale aux races qui ont habité l'Occident européen à l'époque quaternaire, elle est universelle; mais c'est dans nos cavernes que s'en rencontrent, semble-t-il, les plus anciens témoignages recueillis jusqu'ici.

Quant au totémisme, il est plus discutable; cependant, en étudiant les peintures de nos grottes, et en comparant les résultats de nos observations aux usages de certaines des peuplades sauvages vivant de nos jours, certains archéologues ont été amenés à penser que les Magdaléniens ne couvraient pas les parois de leurs habitations dans le seul désir de satisfaire leurs goûts esthétiques, mais qu'ils attachaient un sens superstitieux aux représentations qu'ils figuraient.

«En Australie, comme en Amérique, dit Déchelette, les clans se croient placés sous la protection d'un être tutélaire, ordinairement d'un animal dont il importe, pour le salut commun, de se ménager les faveurs. Cet animal totem devient par suite l'objet d'un culte constant. Les clans apposent les images de leurs totems sur leurs armes offensives et défensives. En outre, l'intervention de la magie permet d'en obtenir la multiplication, profitable à la communauté.

MM. Spencer, Gillen et Frazer ont décrit les curieuses cérémonies qu'accomplissent dans ce but les Australiens, au pied des parois rocheuses, tapissées de représentations zoomorphes. Maintes particularités de ces pratiques magiques se rapprochent aisément des faits observés dans les grottes pyrénéennes et périgourdines.»

Il ne faudrait pas, cependant, abuser du totémisme et chercher à en retrouver partout les traces. Nous ne connaissons pas tous les mobiles des actions de l'homme à ces époques lointaines.

Les peintures de nos cavernes sont parfois situées dans des recoins ou sur des anfractuosités de rochers peu accessibles; on a supposé qu'elles ont été tracées dans ces endroits parce qu'elles auraient été interdites (*Tabous*) aux femmes, aux enfants et, d'une manière générale, aux non-initiés.

Ce n'est là qu'une hypothèse, vraisemblable il est vrai, mais qu'il serait hasardeux de développer tout comme celle relative au totémisme; car, là encore, nous ne pouvons pas déduire des superstitions des sauvages modernes les idées en cours dans des temps aussi éloignés de nous.

La croyance aux *larvæ*, c'est-à-dire aux spectres, aux revenants, qu'on rencontre depuis les temps historiques les plus anciens, dans la péninsule Italique, n'est certainement pas une conception spéciale aux peuples européens; elle existait en Égypte sous une autre forme, mais à coup sûr la crainte que les morts vinssent, par leurs apparitions, troubler la quiétude des vivants eut, chez tous les humains, une grande influence sur le respect qu'ils semblent avoir toujours témoigné à la sépulture, objet d'une crainte mystérieuse, vague, mais intense chez les primitifs, angoissante encore chez bien des modernes des plus développés.

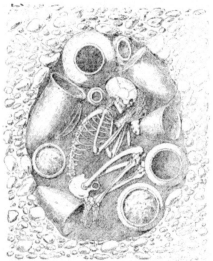

Fig. 141.—Sépulture néolithique d'El-Amrah (Haute-Égypte).

Avec l'apparition des industries néolithiques, le culte des morts s'affirme sous des formes multiples, car les sépultures de ces époques, très nombreuses dans tous les pays, sont en même temps extrêmement variées. La tombe en pleine terre, sans enveloppe protectrice du cadavre, est peu commune dans nos pays. Cependant on la rencontre dans le département de la Marne, entre autres, à Dormans: les corps accroupis ou repliés étaient placés dans de petites fosses orientées du nord au sud.

Fig. 142.—Tombes des nécropoles de l'Arménie russe: Industrie du fer.

Ce mode de sépulture, le plus simple de tous, était en usage dans la vallée du Nil, au temps où florissaient les industries néolithique et énéolithique (*fig. 141*). Souvent alors on trouve le squelette enfermé, cousu dans une peau d'antilope ou de gazelle, et l'apparition du cuivre ne modifia pas cet usage. Dans les couches les plus profondes du tell de Suse, les tombes présentent les mêmes caractères généraux.

En Allemagne, ce mode d'inhumation est plus fréquent que dans la Gaule.

Nous avons vu qu'aux temps quaternaires le mort était fréquemment enseveli dans les cavernes, auprès de son foyer. Aux temps néolithiques, ces grottes, alors inhabitées pour la plupart, furent choisies pour déposer les cadavres; telle celle de l'*homme mort*, dans la Lozère, où se trouvait un vaste ossuaire. Fréquemment une muraille de pierres sèches, fermant l'entrée de la caverne, abritait les corps contre les carnassiers.

Fig. 143. — Crypte de Croizard. Vallée de Petit Morin (d'après le baron de Baye).

Fig. 144. — Crypte de Courgeonnet. Vallée de Petit Morin (d'après le baron de Baye).

Mais comme il n'existait pas de grottes naturelles dans tous les pays, l'homme creusa dans le sol des abris artificiels. C'est dans le département de la Marne qu'on peut le mieux étudier cette forme de tombes. La vallée du Petit Morin en renferme un grand nombre. Ce sont de véritables hypogées, creusés dans la craie, très régulièrement, composés d'une ou de deux chambres jadis fermées au moyen de dalles ou de madriers. Une tranchée pratiquée dans les éboulis et les alluvions avait permis d'atteindre les affleurements de la craie. Les squelettes étaient nombreux, régulièrement rangés les uns par-dessus les autres, en deux groupes laissant entre eux une sorte d'allée.

Fig. 145. — Dolmens: 1, Brantôme (Dordogne); 2, table des marchands (Locmariaker, Morbihan); 3, Krukenn (Plouharnel, Morbihan); 4, Lauzo (Orgnac, Ardèche); 5, Gramont (près Lodève, Hérault); 6, Trie-Château (Oise).

Certaines de ces grottes artificielles sont considérées par les archéologues soit comme étant des chapelles funéraires destinées à la célébration de cérémonies rituelles, soit comme des sépultures réservées à des personnages de rang élevé.

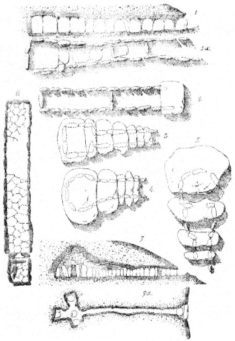

Fig. 146. — Dolmens, plans et coupes.

Dans la majeure partie de l'Europe, dans les pays méditerranéens, en Égypte et dans l'Asie antérieure, les hypogées sont nombreux; tous sont inspirés par le même principe, le respect du mort, et le désir de protéger ses restes contre les animaux et les hommes. Les tombes pharaoniques de Thèbes, les sépultures achéménides de la Perside, sont des grottes artificielles aux proportions monumentales. Mais creuser ces hypogées exigeait de grands travaux, auxquels on ne pouvait se livrer que pour un petit nombre de personnes; ce mode d'inhumation ne doit donc être considéré que comme exceptionnel. Il en est de même pour les dolmens, vastes chambres bâties en blocs de roches, puis, le plus souvent, recouvertes de terre.

Fig. 147. — Distribution géographique des dolmens dans l'ancien monde.

Le dolmen (*fig. 145* et *146*) est un monument en pierre, de dimensions variables, composé de murailles verticales formées de gros blocs dressés et d'une ou plusieurs grandes dalles recouvrant l'édifice. Certains dolmens ne renferment qu'une seule chambre, rectangulaire (*fig. 145* et *146*, nos 1, 3 et 4); d'autres en contiennent plusieurs (*fig. 146*, nos 5 et 7), d'autres enfin sont munis d'une galerie d'accès construite d'après les mêmes principes (*fig. 146*, nos 1, 3 et 7), plus ou moins longue, plus ou moins large et haute. Parfois les murs latéraux sont inclinés et donnent au dolmen l'aspect d'une pyramide tronquée (*fig. 145*, nos 4 et 5); on connaît même des allées couvertes dont les grandes dalles ne sont supportées que d'un seul côté, ce qui donne au couloir une section triangulaire. On voit aussi bon nombre de ces monuments formés d'une longue galerie sans chambre spéciale (*fig. 146*, nos 2 et 6). Dans quelques pays, en Irlande entre autres, les dalles du plafond sont remplacées par une voûte en encorbellement, construite en petites pierres plates (*fig. 146*, n° 7). Le sol des dolmens est, en France, souvent dallé (*fig. 146*, nos 1 et 6).

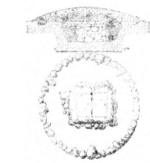

Fig. 148. — Dolmen bâti de Nâmin,
province d'Ardébil (Perse)
relevés de l'auteur

Dans bien des cas les dolmens sont recouverts d'un monticule de terre plus ou moins grand; mais nous ne pouvons pas affirmer que tous occupaient l'intérieur d'un tumulus, et que ceux qui sont aujourd'hui découverts, l'ont été, soit par la culture, soit par les pluies.

Dans les dolmens complets, avec tumulus, on constate la présence au pourtour de la butte d'un cercle de grosses pierres destiné à limiter la base du tertre. Souvent on rencontre de ces cercles de pierre isolés, sans qu'un dolmen soit situé au centre. Pour la plupart ces cercles ne sont que les ruines d'anciens tumuli: mais il ne faut pas les confondre avec les *cromlechs*, monuments de destination inconnue, dont les dimensions sont beaucoup plus grandes.

L'apparition des dolmens dans l'Europe occidentale semble coïncider avec la seconde phase de l'industrie néolithique de la Suisse et de la France; mais cette apparence semble être illusoire: car les plus anciens de ces monuments, dont les mobiliers ne comprennent que des outils de pierre, faits de roches dures importées renferment des traces de métal, cuivre et or, d'autres sont franchement énéolithiques.

L'extension géographique des dolmens est immense (*fig. 146*); on les rencontre depuis le sud de la Scandinavie jusqu'en Algérie, et depuis le Portugal jusqu'aux Indes et au Japon. Dans le nord de l'Asie antérieure (talyche russe ou persan), ils appartiennent tous aux temps des industries du cuivre et du bronze; il s'ensuit que si l'usage de construire de semblables édifices est venu de l'Asie dans nos pays, cette pratique a forcément amené avec elle la connaissance des métaux, ce qui semble être le cas; car, en Europe occidentale, ces tombeaux renferment des mobiliers d'apparence néolithiques mais certainement dus à la pauvreté en cuivre de leurs constructeurs. L'hypothèse d'une propagation en sens inverse est inacceptable, car elle supposerait que les débuts du métal, dans les pays caspiens, sont postérieurs à ceux dans l'Armorique et ce ne peut être, la civilisation asiatique remontant à des âges beaucoup plus reculés que celle de l'Occident.

Reste à supposer que l'idée de construire ces vastes sépultures est née en des temps divers dans plusieurs pays, car le culte des morts est trop ancien et trop répandu pour qu'on puisse expliquer sa généralisation par sa propagation partant d'un foyer unique. La solution serait, semble-t-il, dans une hypothèse mixte; car il n'est pas possible de relier au grand groupe des dolmens asiatico-européens, les monuments du Japon, de Madagascar et de l'Amérique du Sud.

Dans tous les pays, les plus anciens dolmens sont faits de matériaux de grande taille, mal dégrossis; puis, peu à peu, les éléments des murailles verticales diminuent de grosseur et bientôt les blocs latéraux des débuts sont remplacés par un appareil en pierres brutes, il est vrai, mais soigneusement établi. Seules les grandes dalles du toit demeurent (*fig. 148*) et, les dimensions du monument diminuant, on en arrive au ciste.

Fig. 149. — 1, Menhir de Kérouézel à Porspoder (Finistère);
2, Géant de Kerdil, Carnac (Morbihan);
3, Penmarch (Finistère), hauteur 7 mètres.

Ce n'est pas dire que l'usage d'enterrer les morts dans des coffres de pierre soit postérieur aux dolmens; les deux genres de sépulture ont certainement été usités en même temps dans les mêmes pays, mais le principe de ces constructions funéraires est le même. D'autre part, la conception du dolmen et de son tumulus, interprétée par des peuples de grande culture, a produit en certains pays de véritables colosses; témoin les pyramides royales égyptiennes de l'Ancien et du Moyen Empire.

Les dolmens ne sont pas les seuls monuments mégalithiques de l'antiquité préhistorique: on rencontre également dans bien des régions des traces inexpliquées encore de croyances religieuses ou superstitieuses, se rapportant peut-être au culte des morts, et se manifestant sous forme de pierres levées (menhirs) (*fig. 149*), de portiques, rares d'ailleurs, composés de deux montants verticaux et d'un linteau; enfin des alignements de monolithes (*fig. 150*), le plus souvent associés à des cromlechs. Les dolmens eux-mêmes présentent parfois des singularités inexplicables: certains sont divisés en plusieurs chambres qui communiquent entre elles par un trou circulaire percé dans la cloison (*fig. 145*, n°s 5 et 6; *fig. 146*, n° 6).

Fig. 150. Alignements de Ménec à Carnac (Morbihan).

En France, les menhirs sont plus nombreux encore que les dolmens. A. de Mortillet en compte 6192, y compris les alignements et les cromlechs; et leur distribution ne concorde pas exactement avec celle des dolmens. Le plus grand de ces monuments est le Men-er-Hroèck (Pierre de la Fée), aujourd'hui renversé et brisé, qui mesurait 26^m, 50 de longueur. Ce monolithe rappelle par ses dimensions les obélisques d'Égypte; celui d'Hata Sou à Karnak est cependant beaucoup plus grand, sa hauteur étant de 33^m, 20. On se perd en conjectures sur la destination primitive de ces monuments, mais aucune des hypothèses proposées jusqu'ici ne repose sur des bases scientifiques.

Il en est de même pour les alignements, longues files parallèles de menhirs plantés en terre à des distances presque égales et dont on voit encore les restes dans les départements du Morbihan et du Finistère. Ces alignements, jadis, étaient beaucoup plus étendus: ce qu'il en reste donne cependant encore une grande impression.

Les cromlechs sont de grands cercles de 50 ou 60 mètres de diamètre, formés de menhirs. Ces monuments mégalithiques sont très répandus sur notre sol, dans les îles Britanniques, en Suède, en Danemark. On en rencontre quelques-uns dans l'Asie antérieure. Toutes les interprétations qui ont été données à leur sujet sont du domaine de la fantaisie.

Le petit nombre de sépultures quaternaires découvertes jusqu'à ce jour ne permet pas d'établir les règles alors suivies dans la mise en terre du mort, et nous n'avons, de ces temps, aucune indication quant aux pratiques d'incinération que nous voyons souvent usitées par les néolithiques de nos pays. Mais avec l'apparition de la pierre polie, nos informations deviennent beaucoup plus sûres. Dans certaines régions, telle la Scandinavie, les tombes néolithiques sont toutes d'inhumation, alors qu'en France et surtout en Bretagne, on a fréquemment incinéré les morts. Dans les départements de la Marne, de l'Aisne, du Gard et en beaucoup d'autres points de notre sol, la même observation a été faite; et cette coutume de détruire le corps par le feu, aurait également été en vigueur aux mêmes époques en Thuringe et dans la Prusse occidentale, alors que dans les îles Britanniques, en Italie et en Suisse on n'a pas encore retrouvé de traces d'incinération.

D'ailleurs, dans les temps historiques, chez les Latins et les Étrusques, la crémation et l'inhumation étaient également pratiquées; seul l'Orient, et surtout l'Égypte, semble s'être refusé à la destruction du corps. Cependant l'incendie des tombes royales primitives de Négadah et d'Abydos permettrait de penser qu'à l'origine on pratiquait, pour les grands personnages, l'incinération non seulement de leur corps, mais de tous les biens leur ayant appartenu.

Quant au décharnement pré-sépulcral, il semble avoir été en usage dès les temps quaternaires, si nous en jugeons par la couleur qui couvre les ossements. Pour les époques plus voisines de nous, cette pratique a laissé de nombreuses traces dans l'Europe occidentale, centrale, en Russie et, paraît-il, jusqu'au nord du Caucase.

Pendant que florissait l'industrie du bronze dans nos pays, les coutumes d'antan demeurèrent ce qu'elles étaient à l'époque des néolithiques; toutefois on cessa peu à peu de bâtir des dolmens et ceux qui existaient furent souvent employés comme ossuaires. Dès lors on enterra dans des cistes, dans des fosses aux parois garnies de moellons, dans des chambres bâties (*fig. 151* et *152*), sur lesquelles on élevait un tumulus qui, parfois, atteignait des proportions considérables. Celui de Saint-Menoux (Allier) ne mesurait pas moins de 25 mètres de diamètre; il contenait quatre squelettes.

À cette époque la crémation était en usage également dans l'Europe; mais, comme aux premiers temps, l'Asie ne l'adopta pas, ou du moins, nous n'en avons jusqu'ici rencontré aucune trace. Là, dans certaines régions, le nord-ouest de la Perse entre autres, on peut suivre les diverses phases de passage du grand dolmen au ciste, et les mobiliers funéraires vont en se perfectionnant au fur et à mesure que se complique la construction funéraire.

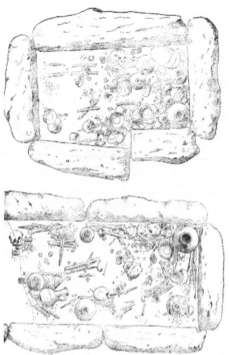

Fig. 151 et 152. —Sépultures de l'industrie du fer à Djonu (Talyche russe).
Fouilles de l'auteur.

Si les primitifs habitants des montagnes qui bordent au sud-ouest la mer Caspienne ne brûlaient pas les morts avec leurs épouses comme on le faisait aux Indes, du moins semble-t-il que l'homme les emmenait avec lui dans l'autre monde. Une sépulture que j'ai eu la bonne fortune de découvrir à Véri (Talyche russe) en 1890, est explicite à cet égard.

Un ciste aux contours irréguliers (*fig. 153*) renfermait quatre corps. À droite sont les restes de l'homme (n° 1), accompagnés de ses armes: une épée, quatre poignards, plusieurs têtes de lances et bon nombre de pointes de flèche; comme bijou, un torque et quelques perles, de petits disques d'or. À gauche de l'homme, au milieu de la tombe, sont deux crânes de femmes (n°s II et III), entourés de perles, de disques d'or; chacune a son torque, et des bracelets l'accompagnent; les armes font complètement défaut. À gauche est un autre crâne féminin (n° IV), entouré des mêmes bijoux et, près de là, un miroir de métal. (Dans la figure 153, les vases ont été enlevés, afin qu'on se rende mieux compte de la position des objets et des squelettes.)

L'examen du mobilier de cette sépulture montre d'une façon très nette que les trois femmes avaient accompagné leur maître dans la tombe. La position des bijoux, l'ordre qui régnait dans leur distribution, et le fait qu'aucun vase n'avait été brisé, prouve que ces femmes avaient été mises à mort avant la fermeture de la chambre sépulcrale. Là s'arrêtent nos constatations: mais elles sont fort importantes quant aux cérémonies des funérailles, au temps du bronze dans cette région, car elles ouvrent la voie aux comparaisons avec les Indes, où existait depuis des temps fort reculés, sous une autre forme, le même rite du sacrifice des femmes. Cette tombe rappelle celles des Scythes dont parle Hérodote.

Les mœurs à ces époques étaient fort variées et souvent de la plus affreuse barbarie; ainsi M. Stolpe, savant suédois qui a étudié une caverne de l'île Stôra Carlso (Gotland), a constaté que les habitants de cette île aux temps néolithiques étaient cannibales; et l'on trouve encore mention du cannibalisme en Europe à l'époque historique.

Mais les néolithiques se livraient encore à d'autres pratiques sur les morts, et ces usages ont laissé des traces. Ils découpaient des rondelles dans les crânes, les trépanaient, non pas dans le but chirurgical de cette opération de nos jours, mais pour en détacher des fétiches; car ces rondelles ils les perçaient de trous pour les suspendre ou les faire entrer dans leurs colliers; et les Gaulois eux-mêmes pratiquaient encore cet usage. On a découvert en Bohême, dans l'oppidum de Stradonitz, un fragment de calotte crânienne orné de dessins géométriques gravés, témoin d'un usage qu'on retrouve de nos jours en Océanie.

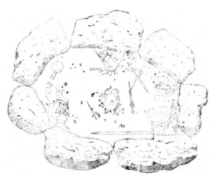

Fig. 153.—Sépulture de l'industrie du bronze à Véri (Talyche russe).
Fouilles de l'auteur (les vases ont été enlevés).

Comme on le voit, les usages funéraires, aux temps préhistoriques, sont extrêmement variés; nous ne possédons de renseignements que sur fort peu d'entre eux, beaucoup nous échappent complètement.

En Perse, le Mazdéisme mit fin à la sépulture, et, dans le nord de l'Iran, aux tombes de l'industrie du fer, succèdent des cases pour l'exposition des cadavres; ce n'est qu'avec la venue de l'Islam, c'est-à-dire au VIIᵉ siècle de notre ère, que les tombes reparaissent. Or, l'on s'accorde pour assigner le XVᵉ siècle avant notre ère pour l'apparition dans la Médie de la doctrine zoroastrienne. Cette date serait donc, à quelques siècles près, celle de la disparition des sépultures de l'industrie du fer dans ce pays, si toutefois les hommes de l'industrie du fer, dont nous avons retrouvé les sépultures, se sont convertis au Mazdéisme.

Le culte des morts n'était d'ailleurs pas, aux temps préhistoriques, la seule croyance religieuse; il en existait une multitude d'autres, mais la question des idées philosophiques, chez les peuples sans histoire, est l'une des plus obscures qui soient, parce que nous manquons presque complètement de documents sur lesquels il nous soit possible de baser même des hypothèses. Sauf pour les rites funéraires qui, nous venons de le voir, montrent que dans tous les pays l'homme s'est préoccupé de la vie future, nous sommes presque toujours contraints, pour nous faire une idée de ce qu'étaient les cultes primitifs, de faire usage des sources historiques et de remonter, par la pensée, au travers des âges, en nous aidant, mais bien faiblement, des rares objets préhistoriques qui semblent se prêter à l'interprétation. Cette excursion dans les origines historiques des croyances nous montre les religions infiniment variées, ce qui n'est pas sans compliquer encore la tâche du préhistorien. En effet, si nous constatons que les peuples d'une même région, en entrant dans l'ère historique, possédaient des croyances diverses, que devons-nous penser de ceux qui successivement, dans les temps plus anciens, ont foulé le sol de ce même pays?

Les religions naissent, prospèrent, parfois se répandent au loin, puis entrent en décadence et meurent. Seules, celles qui sont basées sur des principes vraiment philosophiques survivent; mais plus nous remontons dans le temps et plus nous nous éloignons des conceptions élevées, plus nous pénétrons profondément dans les pratiques de la superstition et de la magie; car l'être humain, devant l'impuissance de ses efforts sur les phénomènes alors incompréhensibles, guidé d'une part par la crainte, d'autre part par l'espérance, a forcément attribué la multiplicité des faits dépassant son intelligence à une foule de causes. Il en résulte des pratiques compliquées à l'infini: «l'homme peupla d'abord l'espace de forces libres, passionnées, susceptibles d'être invoquées et fléchies». Ce n'est que beaucoup plus tard que vint la notion du dieu unique: parce qu'elle exigeait une généralisation des causes que seuls des esprits développés étaient aptes à concevoir.

Le domaine de l'incompréhensible, très vaste au début, se restreignit peu à peu au fur et à mesure du progrès intellectuel. La pléiade divine primitive, née de la multiplicité des phénomènes, reçut un maître et, chez quelques rares esprits plus affinés, naquit la conception d'une force supérieure à toutes les autres, les englobant. La notion du dieu unique était née: mais, dans beaucoup de religions, cette conception supérieure demeura le secret du clergé: c'est ce qui eut lieu en Égypte et probablement aussi en Chaldée, et c'est, fort probablement, de ces notions sacerdotales que les Hébreux tirèrent Yaveh. Mais dans toutes les religions orientales les anciens dieux n'étaient pas destitués, les clergés les conservèrent longtemps encore, parce que les peuples n'étaient pas assez développés pour qu'on pût les faire renoncer à leurs superstitions.

Chez tous les peuples dont nous avons pu étudier les origines religieuses, ou tout au moins remonter fort loin dans l'examen de leurs croyances, nous rencontrons le polythéisme. Égyptiens, Chaldéens, Élamites, Hellènes possèdent tous un panthéon compliqué. Il en est de même pour les peuplades que par nos découvertes géographiques du XVIIᵉ et du XVIIIᵉ siècles, nous avons été à même de surprendre en pleine civilisation préhistorique.

Fig. 154. — Emblèmes religieux et insignes
des tribus sur les vases peints prédynastiques d'Égypte.
1 à 13, Négadah et Ballas; 14, El-Amrah et Abydos;
(15 à 41, d'après Schweinfurth).

Chez les Sémites de la Chaldée, les Akkadiens, nous voyons l'idée de la divinité, dès les débuts, se rattacher aux astres, alors que pour les anciens habitants des pays du Tigre et de l'Euphrate, chez les Sumériens, la puissance incompréhensible appartient aux forces de la nature, conceptions différentes dans la forme, qui partaient du même besoin de s'adresser à quelqu'un ou à quelque chose pour conjurer le mauvais sort. Ces deux religions primitives n'avaient rien de philosophique, l'intérêt en était le mobile, et la superstition le guide.

En Égypte, il semble que deux cultes se soient mélangés celui des Aborigènes lybiens, de ces hommes que nous avons vus taillant la pierre, et celui des envahisseurs qui apportèrent avec eux la connaissance du cuivre; de cet ensemble sortit la religion pharaonique. Mais les vieilles coutumes survivaient encore aux temps grecs et romains. Tout avait été jadis dieu dans la nature, et chaque nôme conserva son dieu jusqu'aux premiers siècles de notre ère. C'était une survivance quatre ou cinq fois millénaire de la division du pays entre ces tribus dont nous voyons les insignes distinctifs figurer sur les vases peints préhistoriques. En Égypte comme en Chaldée chacun des dieux avait son emblème, son animal ou son objet privilégié, et chez les pharaoniques, le culte primitif des animaux s'était conservé, dernière trace du totémisme originel. On momifiait les chats, les chiens, les chacals, les crocodiles, les bœufs comme s'ils avaient été les dieux eux-mêmes.

Fig. 155. — Empreinte de cachet
(palais de Cnossos). Déesse apparaissant
au sommet d'une montagne, entre
deux molosses, et personnage en adoration.

Mais les Asiatiques, qu'ils fussent Sémites ou qu'ils appartinssent aux anciennes races, ont aussi vénéré la nature: les arbres, les sources, les fleuves, les montagnes; et ce culte semble être le plus ancien chez tous les peuples: nous le retrouvons dans l'Europe occidentale, chez les sauvages de nos temps, et bien certainement des recherches plus étendues amèneront à constater que dans tous les pays il a été la base, l'origine des cultes divers.

Dans l'étude des questions religieuses relatives à la préhistoire de l'homme, nous devrons donc rejeter la notion du dieu unique, et nous attacher seulement au naturisme, qu'il soit sidéral ou se rapportant aux phénomènes terrestres. Les astres et les étoiles, la foudre, l'orage, la pluie, le vent, le froid et la chaleur ont été quelque part et en quelque temps des dieux; les eaux, sources, lacs, rivières, les montagnes (*fig. 155*), les rochers, les arbres, en ont été également, de même que les animaux; mais ces cultes étaient très variés suivant les lieux et les époques. Contentons-nous de glaner dans ce milieu d'une diversité infinie, et de signaler ceux des cultes dont il nous est parvenu des témoins consentant à parler.

Tout d'abord au culte des morts, à la conception de l'anéantissement terrestre, nous devons opposer l'image de la vie, de la création, de la fertilité, de l'abondance, bonheurs personnifiés par la déesse chaldéenne Nana une forme de l'Astarté, des Hellènes.

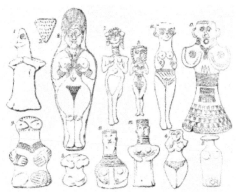

Fig. 156. — Représentations de la déesse Nana (Astarté).

Dans les couches profondes des ruines chaldéennes et susiennes, jusque dans celle qui renferme les vases peints de l'industrie énéolithique, on rencontre de grossières figurines de cette déesse (*fig. 156*, n° 1), voire même son emblème (*fig. 156*, n° 2); image qui, plus tard, dans les temps historiques, se montrera en abondance, sous forme d'ex-voto d'argile (*fig. 156*, n° 3). Or, cette image, qui symbolise la fertilité, nous la retrouvons en Égypte (n° 4), soit réelle, soit symbolisée (n° 5), suivant le goût égyptien, car jamais en Chaldée elle ne se montre sous cette forme. Puis elle disparaît de la vallée du Nil dès l'établissement de la civilisation pharaonique; mais ce n'est pas seulement en Égypte qu'elle est parvenue du pays des deux fleuves: on la rencontre à Hissarlik, dans les ruines de la seconde ville (n° 7), en Cilicie, à Adalia (n° 9), dans les îles grecques, à Chypre (nᵒˢ 6, 10, 11 et 12), accompagnant l'industrie néolithique et jusque dans le bassin du Danube, à Kliçevac, près de Belgrade (n° 13). L'Orient tout entier et quelques pays de l'Europe ont vénéré la déesse mère, dispensatrice de la fertilité dans les champs, chez les animaux et chez les hommes.

Fig. 157. — Danse rituelle.
Peinture rupestre de Cogul (Espagne), d'après H. Breuil.

En Asie, comme en Égypte, on représentait les dieux, on leur élevait des temples et des autels, alors que dans l'occident et le nord de l'Europe, il semble que des lois cultuelles interdisaient les images divines; car les temps néolithiques et ceux pendant lesquels florissait l'industrie du bronze ne nous ont laissé aucune sculpture religieuse. Seule une peinture rupestre de l'Espagne (*fig. 157*), qu'à tort, à mon avis, on a pensé pouvoir rapprocher de l'art magdalénien, nous montre soit aux temps néolithiques, soit plus tard, une sorte de cérémonie, une danse(?) de femmes qui paraît se rapporter au culte de Priape. Ces femmes portent de longues jupes, des coiffures étranges; leur poitrine est nue; elles font songer par leur costume aux représentations crétoises figurant également des danses rituelles (*fig. 158*). Mais ces peintures sont situées en Espagne, pays qui d'après H. Breuil n'ont pas été soumis aux influences égéennes. Il y a donc lieu de considérer cette scène soit comme purement indigène, soit comme étant d'origine africaine.

Fig. 158. — Bague d'or d'Isopata (près Cnossos).
Danse rituelle.

Le culte du soleil, très ancien en Chaldée et en Égypte, se montre, en Europe, dès les temps de l'industrie du bronze. Mais les objets que nous possédons, affirmant son existence dans nos pays, sont si conformes au mythe grec, qu'on est amené à penser que les instruments pour ses rites ont été inspirés par le monde hellénique.

On sait que les anciens faisaient parcourir l'espace diurne par le soleil dans un char attelé de chevaux (*fig. 159*, n° 2); puis que, pour se rendre du couchant au levant, le dieu quittant son char (n°s 1, 2 et 10, disque solaire et char), naviguait alors dans une barque sur le fleuve Océan (n°s 3 à 7, bateaux solaires).

Or, en Scandinavie, à Trundholm, on a trouvé un char rituel en bronze, attelé d'un cheval, portant le disque; et, en Irlande comme en Angleterre, plusieurs disques solaires en or ont été découverts (*fig. 159*, n°s 8 et 9, le cygne). Puis, les mêmes pays du Nord ont fourni des gravures rupestres (en Scandinavie), et des lames de couteaux portant gravée la représentation de la barque solaire, et enfin une barque votive en or (Jutland). Le mythe se développe donc tout entier dans les pays Scandinaves. M. O. Montelius estime que le char de Trundholm appartient à la seconde phase du bronze scandinave qu'il place vers l'an 1300 av. J.-C. Or, à cette époque l'Hellade était depuis longtemps en relations avec les pays baltiques, par le commerce de l'ambre.

Fig. 159. — Les attributs solaires. 1, Bandeau d'argent de Syros (Civ. égéenne); 2, char solaire de Trundholm (Suède); 3 et 4, barques solaires, graffiti de Suède; 5 et 6, couteaux Scandinaves avec barque solaire; 7, barque votive en or, de Nors (Jutland); 8, ceinturon de bronze de Falerii (Italie); 9 id. de Poggio Burtone (Italie); 10, disque de Staadorf (Haut-Palatinat).

Mais si le cheval était l'animal solaire diurne, le cygne était celui qui tirait la barque de la divinité sur les flots; et si jusqu'ici l'image du cygne remorquant l'esquif n'a pas été rencontrée, du moins la figuration du cygne se trouve-t-elle abondamment représentée dans nos pays, dans le nord de l'Italie et l'Europe centrale, ainsi que dans les pays Scandinaves eux-mêmes, depuis les temps de l'industrie du bronze dans ces pays jusqu'aux siècles du fer, voisins des débuts de la période historique. De telle sorte que, si nous nous en rapportons aux évaluations des préhistoriens les plus compétents, le culte du soleil aurait été en honneur dans toute l'Europe pendant un millénaire et demi, pour le moins; il était répandu dans toute l'Hellade, en Égypte, en Chaldée, en Arabie et couvrait ainsi tout l'Ancien Monde. Plus loin, dans la Médie, il prenait une forme particulière, mais non exclusive comme on l'a pensé; car la doctrine de Zoroastre admettait les dieux secondaires, et bien des siècles après, quoi qu'ils fussent de fervents Mazdéens, les souverains sassanides, se disaient dans leur protocole *minutchétri men yezdân*, c'est-à-dire «issus des dieux».

Fig. 160. — Barques funéraires peintes sur les vases prédynastiques d'Égypte.

Fig. 161. — 1, Hache de bronze votive (Suse); 2, hache de pierre votive (Hissarlik).

Mais en Perse, le culte solaire était certainement de beaucoup antérieur à Zoroastre; car on rencontre dans les sépultures les plus anciennes le disque, le svastika et d'autres symboles reconnus aujourd'hui pour n'être qu'une stylisation de la figure du soleil. Le svastika figure sur les monnaies les plus anciennes de l'Inde, lingots poinçonnés qu'on attribue au VIIe s. av. J.-C.

Sur les vases funéraires peints de l'Égypte primitive, on voit très fréquemment figurer des barques (*fig. 160*); mais il ne faut pas confondre ces représentations avec celles ayant rapport à la course nocturne du soleil, il semble qu'elles soient les premiers témoins de l'usage pharaonique de transporter le mort à sa dernière demeure par voie fluviale. Cette coutume était encore en usage à la douzième dynastie; les barques funéraires, que mes fouilles de Dahchour ont fait connaître, en sont une indiscutable preuve. D'ailleurs les bas-reliefs égyptiens de toutes les époques témoignent de ce rite.

Nous citerons encore l'importance rituelle qu'ont prise aussi bien dans l'Orient que dans nos pays la hache votive simple ou double (*fig. 162*) et le bœuf, dont on trouve soit l'image complète, soit la figuration des cornes seulement très fréquemment représentées; ces deux symboles sont, dans bien des cas, réunis; par conséquent ils correspondraient sinon à la même pensée, du moins à deux croyances très proches l'une de l'autre.

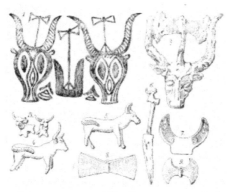

Fig. 162. — Haches et taureaux votifs: 1, vase mycénien du Chypre; 2, Hissarlik; 3, Bythin (province de Posen);
4, 5, Châtillon-sur-Seiche (Ille-et-Vilaine); 6, Hissarlik; 7, Ebersberg;
8, Olympie; 9, Grotte de Dicté
(Crète).

Ainsi, dans bien des cas, le naturisme, primitif s'est peu à peu transformé, l'idée première de la divinité sous sa forme réelle a disparu, et l'emblème des dieux a pris la place de la pensée initiale. C'est ainsi que sur les koudourrous chaldéens (bornes-titres de propriétés) nous voyons figurer indifféremment les dieux et leurs emblèmes; c'est ainsi également que sont nés les panthéons chez les Égyptiens, les Grecs, les Italiotes, etc...

Telles sont, dans leurs grandes lignes, toutes nos connaissances quant aux croyances religieuses chez les hommes avant l'Histoire. En ces temps la magie et la divination, issues du naturisme, jouaient un très grand rôle dans les rites; mais nous ne saurions entrer dans le détail de ces pratiques diverses; les documents font encore défaut.

CHAPITRE III

LA FIGURATION DE LA PENSÉE

Quand l'homme fut sorti de la vie uniquement matérielle, dès que son esprit s'affina quelque peu, il éprouva le besoin de fixer sa pensée, afin de la pouvoir transmettre par des signes intelligibles pour tous; et le premier moyen qu'il trouva fut de représenter par le dessin les idées simples qu'il concevait. Ce premier effort donna naissance à la pictographie représentative; mais bientôt le domaine de la pictographie devenant trop étroit pour répondre aux idées abstraites, même les plus simples, on y joignit la figuration conventionnelle, dont les tracés prirent rapidement une forme hiéroglyphique, et, grâce à son développement intellectuel, et aux progrès que chaque jour l'homme faisait dans toutes les branches de la pensée, bientôt cette écriture elle-même ne suffit plus à ses besoins, certains mots de son parler ne trouvant pas leur expression dans les figures dont il disposait et qu'il ne pouvait pas créer. C'est alors que, négligeant la signification représentative de certains signes, il ne leur accorda plus qu'une valeur phonétique, tout comme nous le faisons encore dans nos rébus. Ainsi naquirent les hiéroglyphes proprement dits, ceux de l'Égypte, de la Chaldée primitive, des Hétéens, de la Crète, de la Chine, du Mexique, etc., dont l'écriture se compose de signes mélangés représentatifs, idéographiques et phonétiques. De là, par des transformations successives des signes phonétiques, se forma l'écriture syllabique: tels le chinois, le cunéiforme des Achéménides, et de ces systèmes sortit la conception de l'alphabet.

Telle est l'évolution rationnelle de l'écriture. Quelques peuples seulement en ont connu toutes les phases; mais, à côté, se développa chez bien des tribus le mnémonisme, entièrement conventionnel, et dont, par suite, la clé s'est perdue en même temps que disparaissaient les hommes qui faisaient usage de ces moyens.

Fig. 163. — 1 à 12, Galets peints du Mas d'Azil (Azilien):
13 et 14, os gravés, caverne de Lorthet (Hautes-Pyrénées)
(Magdalénien).

Aux temps quaternaires, la gravure et la peinture jouaient dans bien des cas probablement le rôle d'écriture pictographique simple; toutefois nous n'en pouvons être assurés; mais à côté de ces représentations artistiques, peut-être idéographiques, il existait aussi des aide-mémoire variés, dont fréquemment nous retrouvons des traces. Les galets coloriés du Mas d'Azil (*fig. 163*, n°s 1 à 12), les os gravés de la Roche-Bertier (Charente) et de Lorthet (Hautes-Pyrénées) (*fig. 163*, n°s 13 et 14) en sont d'indiscutables exemples. Donc l'homme dans nos pays, dès la fin des temps quaternaires, usait de ces moyens mnémoniques dont se servent encore les tribus sauvages de l'Océanie, dont les Indiens du Nouveau Monde ont fait usage; et cette coutume semble avoir disparu lors de la naissance des industries mésolithiques, ou du moins nous n'en voyons plus de traces, dès que paraît le campignien, ainsi que pendant toute la durée des industries du bronze dans l'occident de l'Europe.

Fig. 164. — Inscription de Nunsingen
(Suisse) sur une perle de verre dans
un tombeau remanié de l'industrie
de la Tène (époque incertaine).

Fig. 165. — Peinture figurative mexicaine accompagnée
de légendes explicatives en hiéroglyphes
(d'après L. de Rosny).

Nos pays ne semblent pas avoir connu l'hiéroglyphe. C'est en Orient, dans le centre de l'Amérique et en Chine que ce système s'est surtout développé. Nous le trouvons établi en Égypte dès les temps pré-pharaoniques; il serait venu dans ce pays en même temps que la connaissance du cuivre. En Chaldée et dans l'Élam, aux temps de l'industrie énéolithique, il existait déjà comme précurseur des signes cunéiformes. Chez les Hétéens, nous le voyons complètement formé à l'époque des Ramessides, mais nous ne connaissons pas ses débuts; il en est de même pour les hiéroglyphes égéens. Ces écritures, dans lesquelles le phonétisme jouait assurément un très grand rôle sont demeurées cantonnées dans les pays de l'idiome auquel elles correspondaient; et, même alors que les communications devinrent faciles entre l'Orient et l'Occident, elles n'ont jamais été adoptées en Europe et n'ont même pas inspiré d'écritures analogues. L'Occident ne connut pas de système alphabétique, avant l'apparition de l'écriture hellénique. Comme exemple, unique d'ailleurs jusqu'ici, de tentative indépendante de la Grèce, nous citerons l'inscription de Müningen, en Suisse (fig. 164), que porte une perle de verre datant des débuts de l'industrie du fer; encore ne pouvons-nous pas nous rendre compte de son origine.

Fig. 166.—Caractères
chinois de diverses époques.

Parmi les essais d'inscriptions figuratives demeurés sans
lendemain, nous citerons celles des rochers de Bohusland, en Suède
(*fig. 167*), celles de la Sibérie (*fig. 168*), de la Haute-Égypte (*fig. 169*),
du Marié-Lüd à Locmariaker (Morbihan) (*fig. 170*), comme étant
parmi les plus caractéristiques de ce procédé de fixer la pensée.

Fig. 167.—
Représentation
pictographique
sur roche à Skebbervall
(Bohusland, Suède).

Fig. 168.—
Représentations
pictographiques
des rochers de l'Irytch
(d'après Spassky).

Quant aux systèmes hiéroglyphiques, il en est plusieurs qui ont
fourni une longue carrière, et dont les transformations ont amené la
naissance de procédés d'écriture beaucoup plus complets. Les plus
importants sont ceux de la Chaldée, de l'Élam, de l'Égypte, de la
Chine et du Mexique; nous pouvons suivre aisément leurs progrès
successifs.

Fig. 169.—Graffiti gravés sur les rochers de Gébel-Hétemat (Haute-Égypte), (découverts et dessinés par M. G. Legrain).

Dans les pays chaldéo-élamites nous nous trouvons, dès les temps très anciens, en présence de deux systèmes parallèles: celui de l'Élam appartenant aux indigènes, et celui de la Chaldée qui paraît être plutôt d'origine sémitique, et qui finalement a dominé sur toute la région.

Un très ancien cylindre-cachet, découvert à Suse (*fig. 171*), offre un texte nettement hiéroglyphique, et les tablettes d'argile portant les textes les plus archaïques de ce pays montrent souvent l'empreinte de cylindres également hiéroglyphiques (*fig. 172*).

Fig 170.—Figures tracées sur une des dalles de la chambre du tumulus du Marie-Lud à Locmariaker (Morbihan).

Quant à l'écriture elle-même qu'on voit sur ces nombreuses tablettes, écriture proto-élamite (fig 173), elle représente la transition entre les caractères hiéroglyphiques soit figuratifs, soit idéographiques, et les signes purement conventionnels. Cette écriture était d'usage non seulement sur argile, mais aussi sur pierre (*fig. 173*) et, dans les deux cas, conservait le même aspect.

Fig. 171. — Développement d'un cylindre hiéroglyphique trouve a Suse (*Mém. délég. en Perse*, tome II, 1900, p. 129).

Fig. 172. — Empreinte d'un cylindre portant une inscription hiéroglyphique sur une tablette proto-élamite (Id., t. X).

Dans les pays chaldéo-élamites, l'argile molle était le support courant des textes; or l'argile ne se prête pas au dessin des formes courbes; il en est résulté que l'écrivain, en dehors des cercles ou des ellipses qu'il obtenait par poinçonnage, en était réduit, quand il n'employait que la pointe triangulaire de son stylet, à transformer le plus souvent les parties courbes en polygones plus ou moins réguliers.

Fig. 173. — Inscription proto-élamite sur une tablette d'argile (*Mém. délégation en Perse*, tome VI, pl XXI).

Fig. 174. — Inscription lapidaire en caractères proto-élamites du patési de Suse Karibou-Cha-Chouchinak (*Mém. délég. en Perse*, t. VI, pl. 11), XXVIIe siècle av. J.-C.

Malgré les difficultés matérielles qu'il avait à vaincre, l'écrivain des premiers temps conservait encore à ses signes, dans bien des cas la forme générale des motifs qu'il voulait figurer, tout en la traduisant par un groupe de clous irréguliers. Nous donnons (*fig. 174*) les fac-similés de quelques-uns de ces signes, de ceux pour lesquels il est le plus aisé de reconnaître la forme originelle; puis (*fig. 175*, nᵒˢ 49 à 61) l'équivalent cunéiforme de basse époque de quelques-uns de ces groupes. En examinant ce tableau, le lecteur se rendra, bien mieux que par une description détaillée, compte de l'évolution qui s'est opérée en Élam. Il y a lieu de remarquer que ces hiéroglyphes sur argile ne peuvent être que la copie de figures plus complètes, et assurément étrangères à l'Élam, car ce n'est pas en s'essayant sur l'argile que les scribes eussent été à même de concevoir ces représentations.

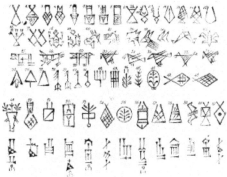

Fig. 175. — Écriture proto-élamique.

L'un des signes les plus intéressants à cet égard est celui qui représente l'homme (*fig. 176*). La silhouette est conservée, d'après des modèles plus parfaits et plus anciens, mais elle est rendue, sauf la tête, par de simples traits cunéiformes.

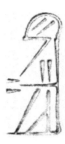

FFig. 176. —
Ecriture proto-
élamite:
représentation
de l'homme.

ig. 177.
Cunéiformes
linéaires
chaldéens
(Yokha,
Chaldée)]

ig. 178. —
Cunéiformes
linéaires
chaldéens
(Suse).

Mais l'usage du système proto-élamite ne devait pas avoir de lendemain. De très bonne heure nous voyons les cunéiformes linéaires chaldéens (*fig.* 177 et 178) s'introduire en Élam et remplacer l'écriture indigène.

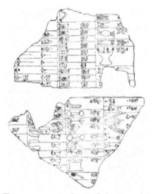

Fig. 179. — Fragment de tablette découverts
à Ninive fournissant l'explication, en caractères
cunéitonnes des hiéroglyphes primitif.

Cette écriture chaldéenne avait, elle aussi, pour origine l'hiéroglyphe (*fig.* 179), mais ces hiéroglyphes différaient de ceux de Suse, quand ils ont fait leur apparition en Élam, partant de bases différentes, mais suivant les mêmes principes. Il semble certain que les cunéiformes chaldéens étaient déjà beaucoup plus avancés que ceux des proto-Élamites. Les deux peuples tendaient vers des résultats analogues, et c'est l'écriture qui était la plus avancée qui prévalut. En Égypte, il ne fut tout autrement, parce que ce n'est plus l'argile qui tenait lieu de support à l'écriture, mais la pierre tendre ou dure qui abonde dans la vallée du Nil.

Fig. 180. — Cylindres pré-pharaoniques (Égypte):
1, calcaire tendre (Musée du Caire, n° 14518; Quibell, *Archaïc abjects*);
2, Kjœkkenmœdding d'Adimiyèh: stéatite (Musée du Caire);
3, Thèbes: pierre noire (Muséedu Caire);
4, Hiérakopolis, stéatite.

Cependant, dans les sépultures les plus anciennes, et dans ces tombes seulement, nous rencontrons des cylindres, en tout semblables à ceux de la Susiane, couverts de figurations et d'hiéroglyphes primitifs (*fig. 180*). Ces sortes de cachets sont nombreux dans les tombeaux de la première dynastie, à Négadah et Abydos; et dans ces deux localités on trouve également les empreintes de ces cylindres sur de larges bouchons d'argile fermant de grands vases.

Fig. 181. — Hiéroglyphes égyptiens archaïques. Tablette de schiste (Musée du Caire).

Fig. 182. — Tablette d'ivoire du trésor royal de Khemaka représentant le roi Ten dansant devant Osiris
(Semti, 1re dyn., vers 4266 av. J.-C.).

Le sceau chaldéo-élamite a donc eu son temps dans la vallée du Nil; mais son existence ne devait pas être de longue durée car bientôt il a été remplacé par le véritable cachet indigène, par l'ancêtre du scarabée.

C'est au cours du temps où le cylindre était en usage que se sont définitivement formés les hiéroglyphes (*fig. 181* et *182*), procédé d'écriture dont l'emploi s'est continué jusqu'au troisième siècle de notre ère, pour le moins. Les matériaux que la nature mettait à la disposition des scribes, en Égypte et en Chaldée, ont donc été la cause de la conservation du système hiéroglyphique dans la vallée du Nil, et de la formation du cunéiforme dans les contrées asiatiques.

Fig. 183.—Inscription hiéroglyphique hétéenne de Djerablus
(d'après Wright *The Empire*, pl. X).

Mais ce n'est pas seulement en Égypte que l'hiéroglyphe a connu la fortune; on l'employa aussi chez les Hétéens (*fig. 183*), en Crète (*fig. 184*) lors de la troisième période du Minoen, en Chine, dans la Transcaucasie, au Mexique.

Puis, dans certaines régions vinrent des écritures inspirées par la simplification des signes hiéroglyphiques, l'hiératique et le démotique égyptien entre autres, et peut-être aussi les écritures crétoises.

Nous ne connaissons les hiéroglyphes hétéens que par les inscriptions rupestres de la Cappadoce, et nous ignorons tout de leurs débuts comme de leur descendance. Pour ceux de la Crète, les opinions sont partagées; les uns les considèrent comme indigènes de l'île les autres, et nous nous rangerons à cet avis, comme provenant de pays étrangers. En Chine, l'hiéroglyphe est la source des signes encore en usage dans la majeure partie de l'Orient asiatique. Dans l'Amérique centrale, ils ont vécu jusqu'aux temps de la conquête espagnole. Quant aux autres tentatives, elles ne semblent pas avoir laissé de traces dans les écritures plus récentes.

Fig. 184. — Disque de Phaestos (île de Crète).

Nous n'avons pas à entrer ici dans la descendance qu'eurent certains de ces systèmes primitifs. Toutefois il est intéressant de faire observer que le berceau des écritures est dans l'Asie antérieure et que de là, par les Phéniciens et les Hellènes, cette connaissance s'est répandue tout d'abord dans les pays méditerranéens, tandis que les peuples de l'Europe et de l'Asie centrale, de l'Occident européen et de l'Orient asiatique étaient privés de ce grand levier du progrès. Ce n'est que très tardivement, quelques siècles seulement avant notre ère, que lentement se propagea l'usage de l'écriture chez les peuples barbares. Les inscriptions, étrusques, ibériennes, rhunes, etc., etc., sont apparues seulement à des époques voisines du Christ, parfois même dans les premiers siècles de notre ère. On s'explique aisément, dès lors, pourquoi pendant plusieurs millénaires la Chaldée, l'Assyrie, l'Égypte, les côtes et les îles de la Méditerranée et l'Asie antérieure sont demeurées les maîtresses incontestées de la civilisation.

Quand on considère, dans leur ensemble, les efforts de l'humanité pour en arriver à figurer la pensée, on voit que dans bien des régions et chez bien des peuples, en des temps très différents, cette nécessité est apparue; mais on constate, aussi que, dans la plupart des cas, les tentatives sont demeurées infructueuses, que dans trois foyers seulement le succès, plus ou moins complet, a couronné les efforts, enfin que le seul centre qui soit parvenu à vaincre toutes les difficultés est celui de l'Asie antérieure et de l'Égypte. C'est de là que grâce à l'écriture, la lumière s'est répandue sur le monde entier.

Certes, dans ce domaine restreint, tous les efforts n'ont pas été récompensés de même manière, les hiéroglyphes crétois, hétéens, proto-anganistes ont disparu sans laisser de descendance, l'écriture cunéiforme, après une longue et utile carrière, s'est éteinte à son tour, seule la méthode de l'Égypte a survécu, non pas dans sa forme pharaonique, mais par ses dérivés d'où, pense-t-on, sont sortis les caractères phéniciens, ancêtres de notre écriture actuelle.

Assurément les cinq familles d'hiéroglyphes orientaux, comme les langages des peuples qui en faisaient usagé, sont indépendantes les unes des autres; mais est-il possible d'admettre que, dans un espace aussi restreint, chez des peuples aussi proches voisins les uns des autres, ces tentatives n'ont pas eu une origine commune? Ce n'est pas croyable, on ne peut s'empêcher de voir, à des époques très anciennes, une pictographie commune, dont chaque peuple aurait tiré parti suivant les besoins de son langage, d'après son génie personnel, indépendamment de ses voisins.

CHAPITRE IV

LES RELATIONS DES PEUPLES ENTRE EUX

Il ne peut être question des relations commerciales qui, vraisemblablement, ont déjà existé dans nos pays dès le temps des industries paléolithiques; il se faisait bien certainement des échanges de clan à clan, de tribu à tribu, mais ces opérations n'ont pas laissé de traces; c'est avec l'apparition de l'industrie néolithique seulement que nous constatons dans les stations de l'homme, parmi les débris laissés par leur vie, la présence de matières étrangères à la région, et par conséquent importées. C'est ainsi que le silex d'aspect résineux du Grand Pressigny se rencontre dans tout le centre et l'est de la France et jusqu'en Suisse. Déjà, de proche en proche, vers la fin de l'archéolithique, des coquillages, provenant de l'Océan, aussi bien que de la Méditerranée se rencontraient ensemble dans les cavernes au centre de la France, employés dans la parure; mais ces trouvailles ne sont pas concluantes quant à l'existence d'un commerce réel; à ces époques, les tribus d'alors guerroyaient sans repos, et l'on peut attribuer à des prises sur l'ennemi vaincu la présence de ces coquilles marines chez des populations vivant éloignées des côtes.

Mais il ne peut en être de même pour les objets néolithiques rencontrés au loin du gisement naturel de la matière dont ils sont faits, car nous connaissons, en assez grand nombre, les fabriques de ces instruments créées dans un but indéniable d'exportation.

Ce commerce du silex prit une grande importance, cela ne fait pas de doute; mais encore l'aire de son exportation était-elle forcément limitée aux régions pauvres en matières propices pour la taille. Il est d'autres minéraux, destinés à entrer dans la parure: la callaïs, la turquoise et les pépites d'or que nous voyons figurer dans les mobiliers des dolmens et dans certaines grottes de la France occidentale et centrale ainsi que du Portugal. On ne les retrouve ni dans l'Europe centrale, ni dans les palafittes; bien certainement elles étaient extraites de gisements situés dans nos pays, mais que nous ne connaissons plus; ces matières ont fait l'objet d'un commerce restreint à l'Europe occidentale.

Fig. 185. — Carte des routes commerciales de l'ancien monde.

Quelques archéologues ont pensé que la callaïs nous venait de l'Orient; mais ce ne peut être; car, en cas de transport partant de contrées éloignées, on ne rencontrerait dans les pays parcourus par les caravanes, ce qui n'est pas. Il en est de même pour la turquoise. Quant à l'or, il existe à l'état natif dans bon nombre de cours d'eau français, espagnols, autrichiens, hongrois, etc... en France, spécialement dans le bassin du Rhône; il n'est donc pas surprenant de le rencontrer dans les dolmens du sud de notre pays, jusqu'en Bretagne et en Portugal, en compagnie de la callaïs.

L'ambre présente beaucoup plus d'importance, au point de vue commercial, que les matières dont nous venons de parler. Il en existe quelques gisements en France, et l'on ramasse cette matière sur certains coteaux de la Seine-Inférieure, mélangés avec les cailloux du diluvium. Mais les véritables gisements étaient ceux des côtes scandinaves et germaniques de la mer Baltique et de la mer du Nord. Ce sont ces gisements qui nous sont signalés par les auteurs de l'antiquité, sources dont parle Hérodote qui, après nous avoir avoué son ignorance de la géographie du nord de l'Europe, assure avoir entendu dire que l'ambre arrivait en Grèce par le fleuve Éridan (l'Elbe ou la Vistule).

L'exemple le plus ancien de l'emploi de l'ambre en Europe occidentale se trouve dans la grotte d'Aurésan (Hautes-Pyrénées), qui est contemporaine du renne; mais certainement l'ambre de cette époque provenait de la France elle-même.

Aux temps de l'industrie néolithique, l'ambre était encore rare en Gaule, mais il abondait dans les pays de production, en Allemagne du Nord, en Suède et en Danemark. C'est que les marchés n'étaient pas encore établis. Bientôt, avec l'apparition du bronze, il fit l'objet d'un commerce considérable, et se répandit dans toute l'Europe et dans les pays méditerranéens. L'apogée de ce trafic est à l'époque de la métallurgie du fer, et l'usage de l'ambre se continuera longtemps encore après l'occupation romaine de nos pays, car il n'est pas de collier frank qui ne renferme ses perles de succin.

L'Asie antérieure méridionale ne semble pas avoir connu l'ambre, mais cette matière était en usage en Égypte dès la XIIᵉ dynastie; toutefois on doit faire remarquer que cet ambre ne provient pas des pays du Nord, mais d'autres régions que nous ne saurions déterminer, car le succin des tombes égyptiennes est beaucoup plus rouge que celui de la Baltique. D'ailleurs, à l'époque des Amenemhat et des Ousertesen, l'Europe entière était encore plongée dans la barbarie; quelques peuples débutaient dans l'industrie des métaux, et les Égyptiens, très puissants en Afrique, poussaient au loin vers le sud leurs expéditions. C'est probablement du Soudan qu'ils ont également rapporté ces perles d'améthyste des colliers des princesses (XIIᵉ dynastie), pierre d'un violet vineux profond, dont nous ignorons actuellement les gisements naturels, et qui ne se rencontre pas dans le commerce moderne.

Jamais dans mes fouilles en Asie antérieure je n'ai rencontré la moindre trace d'un commerce de l'Ambre, aussi bien dans les dolmens du cuivre et du bronze, dans les tombes de l'industrie du fer, que dans les ruines de la ville de Suse, il n'existait donc aucune relation entre les contrées baltiques et l'Asie antérieure. De même l'Ambre ne se rencontre, aux époques anciennes, ni en Sibérie, ni dans l'Inde. Cette remarque réduit à néant toutes les hypothèses relatives non seulement à l'origine européenne des peuples de langue aryenne, mais toutes celles concernant des mouvements vers l'Est, de peuples de l'Occident, tout au moins à partir de l'époque à laquelle les industries néolithiques et énéolithiques étaient florissantes dans nos régions, elle exclue l'Europe des foyers de la métallurgie, ce que nous venons de voir en ce qui regarde l'Ambre baltique est également vrai pour la callaïs.

Mais il est d'autres matières encore dont on a longtemps attribué au commerce la présence dans nos pays. Dès l'époque des dolmens de la Bretagne et celle des palafittes de la Suisse se montrent sous forme de haches des matières précieuses, inconnues jusqu'alors dans l'armement préhistorique: ce sont des néphrites, des jadéites, des chloromelanites, des saussurites dont on ne s'expliqua pas tout d'abord la provenance, et dont l'origine fut l'objet de longues discussions. On s'accorda pendant longtemps pour faire venir de l'Orient, de la Sibérie et de la Chine ces belles matières; mais quelques découvertes faites en Suisse de ces substances, dans leur gisement originel, viennent de montrer que ces matières existant en Europe, il est inutile d'aller chercher au loin leur provenance. Il est à remarquer, d'ailleurs, que les jades ne se rencontrent aux temps préhistoriques dans aucun pays de l'Asie antérieure ni dans la vallée du Nil, et que si cette pierre était venue d'Orient en Europe, elle eût également pénétré dans ces pays beaucoup plus avancés que les nôtres, et où l'on était fort amateur de raretés minéralogiques. Même aux plus belles époques historiques, alors que les lapidaires pharaoniques recherchaient avec grand soin les matières rares, jamais on ne voit figurer le jade dans la joaillerie. Les Perses eux-mêmes n'en ont pas fait usage.

Il est encore une autre matière qui, dans les civilisations de la pierre polie, et au début des métaux, a joué un rôle important: l'obsidienne ou verre de volcan. On rencontre cette substance à l'état de coulée entre des lits de tuf ponceux, dans les massifs volcaniques. Elle est vert sombre (Mexique, Colombie), noirâtre et presque opaque (Archipel grec), presque incolore, simplement enfumée et quelquefois veinée de bandes rouges opaques (Alagheuz, en Arménie russe). Presque toujours elle est translucide, et parfois transparente comme du verre de vitre.

Les gisements naturels de l'Auvergne, de la Bohême, de la Hongrie, des îles Éoliennes et des environs de Naples semblent avoir été fort peu exploités et mis à profit seulement pour des besoins locaux; mais les obsidiennes de l'île de Milo ont fait l'objet d'un commerce important sous forme de lames, tout comme les silex du Grand Pressigny, dans des proportions cependant beaucoup plus réduites; car les nuclei de Milo atteignent rarement 10 centimètres de longueur.

Quant aux obsidiennes de l'Alagheuz, grâce aux veines rouges qu'elles contiennent fréquemment, on peut suivre le développement de leur commerce jusqu'en Susiane. En effet, les fragments et les éclats de cette roche sont nombreux dans les couches anciennes des tells de l'Élam, du Poucht-è-Kouh, du Louristan, du pays des Bakthyaris et de tout l'occident du plateau persan. Dans le petit Caucase et le talyche on en faisait de magnifiques pointes de flèches, même au temps relativement récents des armes de fer.

Dans le Nouveau Monde, non seulement au Mexique et en Colombie, l'obsidienne a été transformée en magnifiques instruments, mais on l'exportait, et il n'est pas un camp indien, dans les territoires méridionaux des États-Unis, qui ne contienne ses pointes de flèches et ses têtes de pique en obsidienne.

Au Japon, l'obsidienne fait presque tous les frais de l'outillage néolithique, et l'usage s'en prolonge longtemps encore après l'apparition du bronze.

Il est à remarquer que, dans nos pays d'Europe comme en Orient méditerranéen, l'obsidienne paraît n'avoir été en usage que lors des industries énéolithiques, elle accompagne le métal. Cependant au pied de l'Alagheuz, dans le massif du mont Ararat, cette matière paraît avoir été employée pour tailler des outils archéolithiques, le silex n'existant pas dans cette région.

En Égypte, l'obsidienne était importée, soit des Îles, soit de l'Arabie, car il n'existe pas de volcans plus proches de la vallée du Nil. Là nous la rencontrons, dans le tombeau de Négadah sous forme de petits vases: mais jamais cette matière n'a servi en Égypte à la fabrication des armes ou des instruments, elle n'a jamais joué le rôle du silex.

Comme on le voit, dès les temps de l'industrie néolithique, dans tous les pays les instincts du négoce se sont fort développés; mais tout d'abord les matières d'échanges étaient peu nombreuses, ensuite les moyens de communication faisaient défaut; on voyageait par terre ou sur les fleuves à l'aide de pirogues et, quoi qu'en aient pensé beaucoup d'archéologues, on ne s'aventurait guère sur les mers, si ce n'est pour aller à la pêche: les embarcations étaient encore trop peu stables pour qu'il fût possible de se risquer au loin, le long de côtes souvent fort inhospitalières. À ce point de vue, la mer

Méditerranée se montrait beaucoup plus affable pour les navigateurs que les flots de l'Océan; aussi ne devons-nous pas être surpris de voir débuter la navigation dans cette mer intérieure bien longtemps avant qu'elle osât affronter les vagues de la «Grande Verte».

Mais, avec l'apparition des métaux, les conditions des voyages se modifièrent rapidement. Sanchoniathon nous dit que les premiers navigateurs de Tyr, ayant coupé un gros arbre, l'ébranchèrent, puis le roulèrent à la mer et, étant montés dessus à califourchon, partirent à la découverte de pays inconnus. Certes nos hommes de la pierre polie étaient moins primitifs que ces Phéniciens légendaires, car ils creusaient des pirogues parfois de grande taille, mais les instruments métalliques permettant un travail plus rapide et plus précis, on en vint vite à la construction de réels vaisseaux et, dès lors, le cabotage se développa au long des côtes. Il en résulta un accroissement notable des relations commerciales, et d'autre part, de jour en jour, les marchandises négociables devenaient plus nombreuses; dans ce commerce aussi bien sur terre que par eau, les métaux occupaient la première place; puis ce fut le sel gemme ainsi que des salaisons dont les continents étaient friands.

Quand on marque sur la carte les régions où se rencontrent le plus fréquemment les trouvailles de lingots de bronze, on voit qu'en France ces dépôts sont cantonnés sur les côtes de l'Océan et de la Manche, autour des mines de cuivre et des gisements naturels de sel, puis près des passages donnant accès de la Gaule en Italie. C'est donc que les transports de métaux qu'on allait chercher dans les Cornouailles, se faisaient par mer, que les salins se faisaient payer leurs produits en métal, et que les Pré-Gaulois fournissaient le nord de l'Italie en passant les Alpes.

La Scandinavie, bien qu'elle fût riche en cuivre, ne possédait pas l'étain; elle le recevait exclusivement, pensons-nous, des îles Britanniques sous forme de lingots de bronze; car c'est le bronze qui voyageait et non les métaux isolés.

Que recevait la Gaule en échange de ses produits, et que donnait-elle en paiement de leurs métaux aux métallurgistes d'outre-mer? Certainement des étoffes, car tous les peuples primitifs en sont fort amateurs; des produits manufacturés, qu'on découvre communément dans les palafittes et dans les sépultures: ce sont des bijoux d'or, des poignards et des casques italiques, des masses d'armes ibériques, scandinaves, des instruments et objets de parure de toute nature, des perles de verre assurément d'origine méditerranéene, des armes de type hongrois. Rencontrant ces diverses marchandises sur le continent, nous sommes autorisés à croire qu'elles poursuivaient leur chemin au de là de la Manche, et gagnaient les pays miniers.

Le commerce des métaux en Gaule ne se faisait pas uniquement avec les peuples de l'Occident: le monde grec, de proche en proche, apportait aussi son contingent; nous en avons la preuve dans les poids de certains saumons de métal trouvés, soit en France, soit dans le nord de l'Italie: ces lingots présentent généralement la forme d'une hache à deux tranchants et leur poids, assez régulier, est celui qui était en usage dans la Méditerranée hellénique.

Les considérations dans lesquelles nous venons d'entrer ne concernent, somme toute, que les régions occidentales de l'Europe et ont rapport seulement à de basses époques; car les relations entre la Gaule ou l'Angleterre et le monde hellénique ne peuvent être beaucoup plus anciennes que le second millénaire avant notre ère. Mais elles ne touchent en rien au commerce de l'Asie antérieure et de l'Égypte aux temps prédynastiques, alors que le monde grec n'était pas encore sorti de l'ombre, et que les Sémites des côtes phéniciennes étaient bien loin de songer à franchir les colonnes d'Hercule.

Des peuples descendus des montagnes venaient d'occuper la Chaldée sortant des eaux, et ils apportaient avec eux le cuivre dont ils transmettaient la connaissance à l'Égypte; mais d'où venaient ces hommes? Ce n'est pas du plateau de l'Iran, inhabité durant les temps quaternaires; ni de la Transcaucasie; probablement est-ce des montagnes de l'Arménie, de la Haute-Assyrie. Quoi qu'il en soit, quelques siècles après leur installation dans l'Élam et le pays des deux fleuves, ils connaissaient le bronze d'étain; l'Égypte, la Syrie les accompagnaient dans cette nouvelle voie à la métallurgie. Nous avons vu plus haut que, d'après des indications qui n'ont pas encore pu être vérifiées, il existait dans ces parages des gisements naturels d'étain, et que ces mines ne sont plus exploitées depuis bien des siècles. Il est à penser que c'est de ces montagnes qu'est venu le bronze dans les premiers temps de son emploi, tant en Chaldée qu'en Égypte; car il est inadmissible qu'à des époques reculées les Orientaux se soient pourvus de ce métal soit au Portugal, soit dans les îles de l'Océan; ils ne pouvaient pas plus le recevoir de l'Asie centrale ou méridionale.

On peut attribuer à nos pays bien des découvertes, on est justifié, dans bien des cas, à rejeter les explications dans lesquelles l'influence centrale asiatique est mise en jeu, mais en ce qui regarde la Chaldée et l'Égypte, nous sommes obligés de recourir à l'Asie antérieure elle-même pour expliquer la présence de l'étain dans les débuts de l'industrie du bronze.

Ce trafic ne se faisait probablement pas par caravanes partant des lieux d'origine pour se rendre directement à Suse et dans les vieilles cités du Tigre et de l'Euphrate; des intermédiaires se passaient de main en main le précieux métal; car un échange de relations directes eut entraîné l'introduction de l'influence chaldéenne dans les régions montagneuses du nord et nous n'en trouvons que des traces très fugitives aux temps de l'industrie du fer, alors même que les métallurgistes de la Transcaucasie avaient adopté les poids assyriens pour le métal qu'ils exportaient.

Le trafic fut de bonne heure très intense entre la Chaldée et les côtes phéniciennes; la grand'route suivait l'Euphrate jusqu'à la hauteur d'Antioche; puis elle s'infléchissait vers le sud. Une autre voie naturelle, la vallée du Tigre, mettait la plaine basse en communication avec les pays de l'Ararat, riches en obsidienne, nous l'avons vu; là, de grands et nombreux gîtes de cuivre étaient travaillés dans leurs effleurements, et exploités pour l'exportation, car les lingots, sous forme d'anneaux, sortes de monnaies de poids réguliers, étaient, dans les siècles de l'industrie du fer en Arménie, taillés suivant la mine assyrienne et ses divisions.

L'Égypte commerçait surtout avec les Asiates de la Phénicie et de la Chaldée, ainsi qu'avec les Libyens; ses vaisseaux parcouraient les îles de la Méditerranée orientale; mais il ne semble pas qu'elle se soit beaucoup éloignée vers l'Ouest africain, au delà de l'oasis d'Ammon. C'est vers l'Afrique centrale que se portait plus particulièrement son négoce: elle en recevait l'or, l'ivoire, et probablement aussi ces belles matières minérales qu'elle savait transformer en vases, en amulettes, en bijoux. Le Nil était sa voie naturelle: dieu pour ses prêtres, dieu également pour ses marchands; mais le Nil, d'après ce que nous en savons, ne lui apportait pas l'étain dont elle avait besoin pour sa métallurgie du bronze et, tout comme la Chaldée, elle n'allait pas le chercher dans les brumes de l'Océan.

La presqu'île du Sinaï, riche en turquoises, mais pauvre en cuivre, ne fournissait à l'Égypte qu'une bien modeste proportion de métal, quoiqu'on ait débité bien des fables à ce sujet; c'est pourquoi, plus tard, les gens du Nil allèrent s'approvisionner en Chypre. Cependant la presqu'île du Sinaï n'en était pas moins le boulevard de l'Égypte, c'est elle qui protégeait Péluse contre un ennemi venu de l'Asie; de là lui vint sa réputation, et non pas de ses gisements de cuivre qui, nous l'avons vu, sont d'importance très minime, presque nulle, part rapport aux besoins de l'empire pharaonique.

Il ne semble pas que l'Égypte ait jamais communiqué directement avec les pays de l'Occident méditerranéen. C'est par les Crétois, par les Phéniciens, par les Hellènes, que son influence et parfois aussi ses produits sont entrés en Italie, en Gaule méridionale et en Espagne.

Quant au monde égéen, sa vie était sur la mer, ses routes, celles de ses vaisseaux. Au nord, nous l'avons vu, les Grecs continentaux étaient en relations indirectes avec les contrées du nord et de l'occident de l'Europe, mais les insulaires demeuraient tributaires pour leur commerce de la côte phénicienne et de l'Égypte: aussi cherchèrent-ils à trafiquer avec des pays neufs, et se lancèrent-ils à la conquête de la toison d'or, sur les deux côtes du Pont-Euxin, sur le littoral de l'Italie, de la Gaule, de l'Espagne dans les grandes îles.

Toutefois, à ces conditions commerciales venaient certainement se joindre des éléments venus de l'Asie centrale. D'ailleurs le commerce des Égéens est de beaucoup plus récent que celui des pré-pharaoniques et des Proto-Chaldéens. Ces considérations se trouvent singulièrement renforcées par ce fait que depuis les temps les plus anciens pour lesquels les traditions et l'histoire nous documentent, nous assistons à une véritable ruée de peuples barbares qui, sortant du Centre asiatique, envahissent non seulement l'Europe, mais l'Asie antérieure elle-même. Tous suivent la même direction; ils marchent avec le soleil. Pourquoi voudrait-on que cet Océan ne se fût mis en mouvement qu'au moment où débute l'Histoire, et pourquoi ne pas admettre que ces peuples n'aient pas conservé des attaches avec leur pays d'origine et continué à commercer avec lui, fait venir des plaines sibériennes, de plus loin peut-être encore, les marchandises qui manquaient dans leur nouvelle patrie, ne les aient pas répandues autant en Europe que dans l'Asie antérieure et l'Égypte? Jadis on attribuait à ces étrangers toutes les inventions, toutes les relations commerciales; aujourd'hui on leur refuse tout, on cherche même leur berceau dans quelques-uns de nos pays, alors que l'enchaînement des faits montre qu'ils sont venus de très loin à l'Est, par vagues successives et qu'aujourd'hui encore beaucoup de ces hordes sont prêtes à reprendre la marche vers le couchant.

Il y a lieu de tenir grand compte de ces influences extrême-orientales; certes nous ne pouvons encore en apprécier toute l'importance, parce que l'étude de l'Asie centrale reste encore à faire; mais ne cherchons pas à tout rapporter à nos pays, parce que la documentation nous fait encore défaut pour d'autres régions; nous nous exposerions à de graves méprises. N'est-il pas préférable d'avouer que nous ne sommes pas encore assez documentés pour trancher de ces questions? que nous en sommes encore réduits à des hypothèses?

CONCLUSIONS

Si nous portons sur la carte les indications que donne l'archéologie préhistorique, en ce qui concerne les temps glaciaires, et si nous ajoutons à ce tracé les renseignements fournis par la géologie, quant à l'extension des glaces quaternaires, nous nous trouvons en présence de révélations vraiment inattendues; malheureusement les confidences que nous fait l'étude du sol, dans ses parties aujourd'hui accessibles, ne sont pas complètes, car nous ne savons rien des continents disparus, et fort peu de chose seulement des modifications subies par les côtes des terres que nous habitons. Quoi qu'il en soit, nos renseignements sont sûrs en ce qui regarde les parties de l'écorce terrestre émergeant encore de nos jours; et s'il demeure de grandes incertitudes quant à l'essaimage des premières colonies humaines, au sujet des influences qu'exercèrent les tribus primitives les unes par rapport aux autres, nous ne disposons pas moins de données suffisantes pour esquisser les premiers pas de l'humanité dans la voie du progrès.

Je ferai tout d'abord observer que, dans tous leurs travaux, les préhistoriens prennent, comme types des diverses industries, les formes qu'on rencontre dans l'occident de l'Europe et que, pour la plupart ils font de ces régions le foyer de diffusion. Ce mode de procéder, absolument anti-scientifique, est dû à ce que l'occident de l'Europe est mieux exploré que les autres parties du Monde. Nous sommes encore obligés de conserver à l'Europe une importance disproportionnée avec le rôle qu'elle a joué; mais, le jour viendra, où son exacte valeur provinciale lui sera rendue, alors les termes que nous employons aujourd'hui dans la nomenclature en usage perdront l'importance illusoire que nous leur accordons.

Fig. 186. — Les glaces et l'expansion de l'industrie paléolithique
(Types chelléen et acheuléen).

Nous avons vu que les industries paléolithiques, les plus anciennes dont la connaissance certaine nous est parvenue, se décomposent en trois sous-industries: le Chelléen, l'Acheuléen et le Moustiérien; qu'il semble que ces trois formes du travail de la pierre sont contemporaines, dictées à l'homme par des besoins locaux. Or les instruments chelléens et acheuléens se rencontrent dans bien des parties du monde fort éloignées les unes des autres dont certains districts, vraisemblablement, n'ont pas eu de contact avec les autres régions de même industrie (*fig. 186*). On est donc amené à conclure de la grande extension géographique de ces types et que les mêmes causes ont produit les mêmes effets en des temps divers, dans des régions différentes, que l'industrie paléolithique est tout aussi bien née en Amérique du Nord qu'aux Indes, en Australie où elle est encore en usage, que dans l'Afrique méridionale, que dans l'Europe occidentale, et peut-être encore en beaucoup d'autres lieux. D'autre part on remarque que le «coup de poing» ne se rencontre pas dans un grand nombre de régions, telles la Sibérie, l'Asie orientale et centrale, la Grèce et ses îles, l'Asie mineure, l'Amérique du Sud, le Mexique, certaines parties de l'Afrique centrale, ainsi que dans les contrées du Nord, le plateau iranien et celui de l'Arménie, pays couverts de glaces pendant la majeure partie des temps quaternaires et, par suite, inhabitables.

Fig. 187. — Expansion du type moustiérien.

L'Europe occidentale était alors séparée du monde oriental par une véritable barrière naturelle; en Russie, les mers polaires de glace descendaient jusqu'au sud de l'Oural, et l'espace qui les séparait des glaciers irano-caucasiens était occupé par le lac aralo-caspien, dont les eaux couvraient toute la Turkomanie de nos jours, et dont la mer Caspienne et la mer d'Aral ne sont que les derniers témoins, les dépressions les plus profondes. Mais si les voies de communication étaient fermées entre l'Asie centrale et l'Europe, il n'en était pas de même dans la mer Méditerranée; là, les chemins étaient libres, plus faciles même à suivre qu'aujourd'hui, car certainement il existait alors des terres reliant notre continent aux côtes africaines; les Baléares, la Corse, la Sardaigne, la Sicile, l'île de Malte ne sont que les ruines de ces immenses digues par lesquelles les animaux se sont retirés devant les rigueurs toujours croissantes du climat de la Gaule et qui, peut-être, ont permis à l'homme de répandre ses premières découvertes industrielles. En quelques semaines on pouvait en ces temps passer de la vallée du Rhône aux territoires africains, soit en descendant par l'Italie ou par l'Espagne, comme l'ont fait plus tard les envahisseurs germaniques, soit en traversant des terres aujourd'hui disparues.

La diffusion des industries paléolithiques dans tout le bassin méditerranéen s'explique donc aisément par la facilité des communications; et celle des formes moustiériennes, spéciale à l'Ancien Monde, vient appuyer cette hypothèse (*carte, fig. 187*) car son habitat semble avoir pour centre la mer Méditerranée; mais on ne peut faire état de la déduction que nous venons de tirer en ce qui regarde les régions plus lointaines dans lesquelles se rencontrent les instruments paléolithiques. Existait-il encore à cette époque un continent joignant le pays des Somalis à la péninsule hindoue? C'est chose possible; mais d'autre part les Somalis étaient séparés des Pré-Égyptiens par de grands espaces et de hautes montagnes peu favorables aux relations des peuples entre eux. Quant à l'Amérique du Nord, elle communiquait peut-être avec l'Europe par l'Atlantide: quant au continent dont Terre-Neuve et l'Islande ne seraient aujourd'hui que des points culminants demeurés hors des eaux, il était couvert de glaces. Cette supposition de la communication par l'Atlantide, semble être bien peu fondée, bien qu'elle soit basée sur la répartition géographique des mers aux derniers temps tertiaires.

Quoi qu'il en soit, s'il a jamais existé un foyer unique des industries paléolithiques, peut-être sur des terres aujourd'hui disparues, la propagation de ces industries n'a pas été l'affaire d'un jour et, par suite, en aucun cas, le synchronisme ne peut être admis pour la même industrie dans toutes les régions.

Fig. 188. — Expansion de l'industrie aurignacienne.

Mais que peut-on penser des pays où ne se rencontrent pas les instruments paléolithiques, qui cependant, émergeant des eaux, n'étaient pas couverts de glace? Étaient-ils inhabités, ou les hommes qui les possédaient vivaient-ils encore à l'état d'*homo stupidus*? La Grèce, la Macédoine, l'Asie mineure, pour ne parler que des contrées du vieux monde, n'ont pas connu l'usage du «coup de poing»; et cependant ces pays ne sont éloignés ni de la Syrie, ou de l'Égypte, ni de la péninsule Italique, où l'on rencontre quelques témoins de l'industrie paléolithique. Dans ces régions ainsi que dans les îles, à

Chypre, en Crète, dans l'Archipel, les premiers colons sont des néolithiques, souvent même des énéolithiques; ils polissent la pierre, ou font usage du cuivre; ce sont donc des étrangers qui forcément ont évolué dans d'autres pays, avant d'atteindre ce degré de culture.

Avec le paléolithique, cesse la grande extension industrielle, qu'elle provienne de la dilatation d'un foyer principal ou de centres multiples; le régionalisme s'établit après le dépeuplement post-moustiérien, et c'est en vain qu'on chercherait, et qu'on a d'ailleurs cherché, une généralisation des types archéolithiques. Chaque région possède dès lors ses usages, coutumes adaptées à ses besoins et aux ressources locales. L'Aurignacien (*carte, fig. 188*) sort à peine de la France, le Solutréen (*carte, fig. 189*) gagne quelque peu dans le nord-ouest de l'Espagne et en Suisse et certaines analogies ont fait penser qu'il s'était étendu jusqu'en Moravie et dans la Pologne russe, mais le fait est encore bien douteux. Le Magdalénien prend plus d'importance (*carte, fig. 190*); il couvre le nord-ouest de l'Espagne, le sud de l'Angleterre, toute la Gaule, une partie de l'Europe centrale et s'étendrait jusqu'à l'Ukraine; toutefois il est permis de se montrer sceptique, quant à l'homogénéité des industries qu'on groupe ainsi; car les similitudes dans quelques instruments en silex n'entraînent pas forcément l'identité des cultures; la hache polie, le racloir simple ou double, le perçoir, les lames retouchées du type néolithique égyptien qui se retrouvent en Espagne, en France, en Algérie et dans bien d'autres pays encore; et, cependant, on ne peut pas attribuer une même origine aux civilisateurs de ces divers pays. Il faut un ensemble de faits portant sur des applications multiples pour qu'on soit en droit d'identifier deux cultures.

Fig. 189. — Expansion de l'industrie solutréenne.

Fig. 190. — Expansion de l'industrie magdalénienne.

À la fin de la période quaternaire, les barrières dans lesquelles le vieux monde était enfermé se rompent, les glaciers se retirent peu à peu, pour se cantonner près du pôle et sur les hautes montagnes; les lacs qu'alimentait la fonte des neiges s'assèchent, et les portes de l'Asie septentrionale s'ouvrent largement. C'est un grand réservoir d'hommes qui va se vider, si l'on en juge par les événements post-quaternaires, réservoir qui pendant des milliers d'années déversera ses flots sur nos pays, où l'apparition des industries mésolithiques semble en être la première conséquence. Quand se présentent ces nouveaux venus, nous voyons paraître l'élevage et l'agriculture, on cultivera désormais les céréales; cependant il n'est pas possible de dire avec certitude si ces découvertes sont l'œuvre des autochtones, ou si les envahisseurs ont apporté ces connaissances de pays lointains. Peu après ces temps, on polit la pierre en Gaule, en Europe centrale, en Scandinavie, et l'art du potier se développe; mais les peuples nouveaux venus, tout en étant probablement plus développés que les aborigènes au point de vue industriel, ne sont que des barbares dans les questions d'art et de goût; avec leur arrivée coïncide la disparition de la belle école magdalénienne de la sculpture et du dessin. On a pensé que les représentations des cavernes possédaient un sens mystique, une valeur totémique, et que là serait la cause de leur abandon, de nouvelles conceptions venant supplanter les vieilles croyances.

À cette époque, qui nous apporte les premières notions solides au sujet des mouvements de peuples, se pose un problème de la plus haute importance. Nous avons vu que l'industrie paléolithique laisse de grands vides sur les cartes, et nous constatons que les types européens de l'archéolithique n'occupent que de faibles parties de l'ancien continent. Que s'est-il passé dans ces régions? Dans certains pays tels que la Grèce, l'Asie mineure, les Îles, ces colons se fixent et leurs premières industries sont celles de la pierre polie souvent accompagnée du métal comme en Chaldée et dans l'Élam.

Dans d'autres régions, telles que la Tunisie, l'Algérie, des industries spéciales de la pierre éclatée, très peu nombreuses, mais variées, ont pris place après la phase paléolithique, jouant le rôle de l'Aurignacien, du Solutréen et du Magdalénien de nos pays; c'est ainsi que le Capsien, si bien caractérisé à El Mekta (Tunisie), sert de transition entre l'Acheuléo-moustiérien et les types néolithiques, peut-être là aussi accompagnés du métal.

Dans la vallée du Nil, la transition est plus brusque encore. À l'Acheuléo-moustiérien, très abondant dans les alluvions désertiques, mais qui, jusqu'ici, n'a pas encore été rencontré *in situ*, succède immédiatement, sans transition aucune, le type néolithique le plus accompli qui soit. Il se pourrait cependant que les industries intermédiaires n'eussent pas encore été retrouvées; mais le fait est bien douteux car la zone à explorer est très limitée, et jusqu'ici aucune trace d'archéolithique n'a été rencontrée. En Syrie, on trouve, dans les cavernes, des restes qui à première vue semblent appartenir aux cultures archéolithiques mais leur âge et leur nature sont encore bien sujets à discussion.

De ces observations, qui portent sur de nombreuses contrées, il résulte que certains pays étaient inoccupés lors de l'arrivée des premiers colons post-quaternaires, que d'autres en étaient encore aux industries paléolithiques, que chez certains une forme de l'Archéolithique était en usage, que nos «âges» de l'Europe occidentale n'ont qu'une simple valeur régionale, dont bien des archéologues se sont exagéré l'importance; parce que ces industries faisaient l'objet de leurs études de chaque jour, ils ont été entraînés à leur accorder un rôle prépondérant.

Il ne faut pas oublier qu'aux temps glaciaires les contrées européennes médianes étaient exposées à de grands abaissements de température, et que les régions plus méridionales n'étaient pas soumises aux mêmes conditions climatériques. Les graffitis relevés sur les rochers de la Haute-Égypte reproduisent en grossières images la girafe, l'éléphant; et les vases funéraires peints figurent des troupeaux de gazelles et d'antilopes, des bandes d'autruches. Dans l'Afrique du Nord, qui ne s'était pas encore asséchée au point où elle l'est de nos jours, le climat était chaud et humide, et, par suite, les conditions de l'existence se montraient tout autres que celles de la même époque dans nos régions, et ces différences dans la nature de la vie se sont traduites dans les armes et les ustensiles que l'homme fabriquait pour répondre à ses besoins.

Tant que subsista le barrage qui, aux temps glaciaires, fermait la route d'Asie centrale vers l'Europe et vers les pays fertiles du Tigre et de l'Euphrate, tant que le plateau persan et le Caucase furent couverts de neige, que le lac Aralo-caspien baigna le front des glaciers polaires, la civilisation évolua sur elle-même dans chaque pays, progressant lentement et sans secousses. Il est à croire que c'est dans ce milieu relativement homogène que des étrangers sont venus apporter des connaissances nouvelles, dès que les portes de l'Asie centrale furent ouvertes. Sans nul doute cette barrière, dont l'existence correspond à l'extension maxima des envahissements glaciaires, a pu se rompre plusieurs fois, au cours des temps pléistocènes, lors des reculs des neiges, et c'est à plusieurs reprises que les gens de l'Asie centrale se seraient présentés dans notre Occident méditerranéen comme dans l'Europe centrale. Peut-être les arts et les industries primitives de la Chaldée et de l'Élam, dont nous ignorons d'ailleurs le berceau, ont-ils tiré leur origine de ces mouvements; peut-être sont-ils venus du Nord de l'Asie antérieure, du pays des bouquetins et des moutons. Il est, en tout cas, vraisemblable que des rives du Tigre, de l'Euphrate et de la Kerkha certaines pratiques ont gagné la Syrie, la Palestine, la vallée du Nil, puis l'Occident méditerranéen, par l'entremise des îles. Cette première émigration des gens de l'Asie centrale, ou tout au moins de leurs idées, serait de beaucoup la plus ancienne; elle aurait trouvé l'homme usant encore, en Chaldée et dans l'Égypte, des armes et des instruments paléolithiques, puis des terres sans habitants dans l'Hellade et dans les îles; plus tard, sur les côtes de l'Afrique du Nord, elle aurait rencontré des indigènes ayant remplacé les industries paléolithiques par d'autres, dont le Capsien, plus conformes à leurs besoins.

Mais les courants qui sont venus de l'Asie centrale étaient forcément partagés en deux branches par les obstacles que présentaient la mer Caspienne et le Caucase. La voie du nord, serpentant au milieu des plaines marécageuses laissées par le recul des glaciers, était plus longue, plus difficile que celle du sud, et bien des siècles s'écoulèrent certainement avant que les émigrants, ou tout au moins leurs inspirations, se soient avancés jusque dans nos pays de l'Europe occidentale.

Pendant des milliers et des milliers d'années, l'Orient a envoyé vers l'Europe occidentale et l'Asie antérieure d'innombrables flots humains qui tous, dans nos pays, ont soit créé, soit détruit, toujours modifié profondément l'état des choses existant lors de leur venue.

D'ailleurs ces flots successifs qui s'écoulèrent lentement ne portaient pas tous les mêmes notions. Dans les pays d'origine, certaines peuplades étaient plus avancées que leurs voisines, souvent elles mêmes très en retard. Si nous ne considérons que les vagues venues de l'Est dans les temps historiques, nous constatons de bien grandes différences dans les goûts et les aptitudes des divers flots, et il en a été de même pour les invasions beaucoup plus anciennes; les traces que nous en retrouvons le prouvent.

Toutefois ce ne sont là qu'hypothèses, permises, il est vrai, par l'état actuel de nos connaissances, mais au sujet desquelles il ne faut pas s'abuser: car, demain peut-être, elles s'écrouleront en présence de nouvelles découvertes. Cependant on peut tenir pour certain que la découverte du métal ne s'est produite ni en Chaldée, ni en Élam, parce qu'avant leur colonisation énéolithique, ces pays étaient inhabités, ni en Égypte, pour les mêmes causes et par suite de la pénurie des minerais cuivreux, ni dans les îles méditerranéenes de l'Orient; mais bien dans ces montagnes du nord de l'Asie antérieure que nous montre du doigt la tradition.

Aux deux derniers millénaires avant notre ère, aux influences directes ou de proche en proche de l'Asie centrale, sont venues se joindre celles des civilisations de l'Orient méditerranéen, et les complications deviennent plus grandes encore; car ces cultures ont réagi les unes sur les autres, sont liées par une multitude de conceptions communes, tout en conservant leur personnalité, et leur influence sur les peuples barbares, où elles ont rencontré des aptitudes très diverses, s'est compliquée de l'influence de ces peuplades sur leurs congénères. Les relations, très difficiles à restituer, se faisaient le plus souvent de proche en proche, et produisaient des idées hybrides, parfois fort éloignées de la pensée originelle.

Quelles sont les causes de ces mouvements des peuples sibériens, nous l'ignorons. Très probablement doit-on les attribuer au refroidissement de leur pays et de l'Asie centrale. Mais nous sommes bien pauvres en documents pour nous permettre de nous prononcer avec certitude à cet égard: l'Asie centrale et la Sibérie sont encore presque inexplorées au point de vue archéologique. Les seules traces d'industrie magdalénienne dans l'Asie antérieure, mise à part la Syrie, sont celles, fort incertaines d'ailleurs, qu'il m'a été donné de relever dans les stations d'obsidienne de l'Allagheuz (Transcaucasie). Peut-être que les forêts et les vallées de l'Altaï, à peine peuplées aujourd'hui, nous ménagent de grandes surprises quant à la variété des causes de départ des populations sibériennes: il se peut en effet que l'énorme accroissement de la population chinoise soit la cause de l'émigration vers l'occident des dernières hordes de celles des Mongols et des Turcs.

Mais ces peuples venus de loin, s'ils ont apporté des usages nouveaux et de précieuses industries, n'ont pas tiré de leurs connaissances tous les avantages qu'ils en pouvaient obtenir.

Pour la plupart, ils sont demeurés des barbares en face des grandes civilisations de l'Égypte et de la Chaldée. Tous d'ailleurs ne manquaient pas d'aptitudes et de génie personnel; car c'est de leur sein que devaient sortir les Hellènes et les Latins, chez qui les conceptions ancestrales se complétèrent par les enseignements des cultures asiatique et africaine, dont ils développèrent à tel point les principes que, bientôt, ils surpassèrent leurs maîtres, dans toutes les branches des connaissances humaines.

Parmi les autres peuples fixés en Europe, chacun prit alors sa part de progrès, mais tous n'étaient pas également aptes à recevoir les leçons, à s'assimiler avec fruit les conceptions élevées; c'est ainsi que la culture gréco-latine, qui domine aujourd'hui dans le monde entier, n'est pas également comprise dans tous les pays, et qu'en plein XXe siècle, bien des peuples ont encore conservé les instincts barbares de leurs ancêtres, quoiqu'ils soient, en apparence, de culture très avancée.

La pensée théorique qui consiste à créer une «période chronologique» lors de l'apparition d'un usage nouveau et à synchroniser cet événement dans les différents pays, a pendant longtemps porté grand préjudice aux études préhistoriques; car il est aujourd'hui prouvé que ces apparitions ont pris place en des temps très divers. De même que l'histoire ne débute pas à la même époque pour tous les peuples, de même il faut rayer du vocabulaire archéologique les mots *âge*, *époque*, *période*. Il faut voir dans l'évolution de l'humanité une succession de progrès et de reculs locaux, personnels, de découvertes et d'oublis, ensemble dont le résultat est un avancement, tantôt lent, tantôt rapide, vers un idéal dont l'humanité se rapproche sûrement, mais dont on doit considérer chaque élément à part, tout en tenant grand compte des influences extérieures, car il est souvent possible de tirer de celles-ci des notions chronologiques, par comparaison avec la culture des peuples entrés déjà dans l'histoire. Mais, parmi ces influences, il en est aussi qui proviennent de foyers oubliés aujourd'hui. Savions-nous, il y a quarante ans, combien a été important le rôle de la Crète dans la culture méditerranéene? Sommes-nous certains que d'autres révélations de civilisations oubliées ne viendront pas troubler nos hypothèses?

Tel peuple qui, en son temps, a joué un grand rôle rentre souvent dans l'ombre pour toujours, à la suite de quelque malheur. L'Ourartou fut un puissant royaume, lutta, souvent avec succès, contre les rois d'Assour; il nous serait inconnu sans les inscriptions gravées par ses princes sur les rochers de Van. On se souvenait à peine de l'Élam, avant les travaux de la Délégation en Perse. Nous ne savons rien des souverains puissants qui ont construit les villes ruinées du Yucatan. Par ces quelques exemples tirés de l'histoire, on peut se rendre compte des causes d'incertitude relatives aux faits préhistoriques; car la préhistoire n'est pas moins féconde en grands événements que l'histoire, événements éloignés de nous, plus encore que ceux qui nous sont signalés par les annales, et nous sommes souvent portés par notre ignorance à synchroniser les faits analogues, mais d'origine et de temps très divers. Nous parlons de l' «époque des dolmens», comme si les dolmens avaient été tous construits à la même époque dans toutes les parties du monde. Gardons-nous de généraliser hâtivement, et contentons-nous d'étudier pour chaque pays aux frontières naturelles la succession des mœurs, des usages, des industries, des pensées, avant le jour fixé par le destin pour l'entrée de ses peuples dans l'histoire; et si l'on doit un jour réunir certaines régions, les faits imposeront cette union comme ils la commandent déjà pour certains groupements historiques.

Pendant des milliers et des milliers d'années tous les peuples ont été sans annales: puis l'aurore de l'histoire est apparue avec la découverte de l'écriture. La Chaldée, l'Élam, l'Égypte ont de bonne heure réalisé ce rêve, alors que beaucoup d'autres peuples nous ont laissé des essais sans lendemain; puis sont venus la Crète, la Phénicie, l'Assyrie, les Héléens, Chypre, enfin les Grecs et les Latins. Quant aux nations barbares, ce n'est que bien tardivement qu'elles ont enregistré leurs hauts faits. L'histoire de la Gaule ne commence qu'avec César, dans le premier siècle avant notre ère; celle de la Scandinavie débute sous nos Carolingiens; les annales des peuples slaves sont moins anciennes encore, et les tribus sauvages du Nouveau Monde, de l'Océanie, de l'Afrique centrale, du Laos et des îles Malaises sont sans histoire. Pour chaque nation, pour chaque tribu la tâche du préhistorien est grande: longtemps l'ethnographie précède l'histoire, puis elle la coudoie et peu à peu se confond avec elle.

Nous avons, au début de ce volume, montré combien il est hasardeux de se lancer dans les évaluations chronologiques, aussi bien en ce qui concerne l'histoire géologique de la terre, qu'en ce qui regarde les événements de la préhistoire humaine; cependant, grâce à quelques données moins imprécises et aux documents historiques, nous pouvons esquisser quelques dates relativement aux dernières périodes des progrès humains, à celles appartenant à la proto-histoire, plutôt qu'à la préhistoire. Pour les faits plus anciens, comme en géologie d'ailleurs, seules les successions peuvent être indiquées.

Dans nos régions, les surrexions de la croûte terrestre qui marquent la fin de l'époque tertiaire ayant amené la formation d'immenses champs de neige, la période glaciaire commence, et c'est vers la fin de cette phase géologique que nous voyons paraître les premières traces de l'intelligence humaine, l'industrie paléolithique; puis, par suite de changements climatériques, de cataclysmes et de nécessités nouvelles, survient l'industrie archéolithique dans ses trois formes successives: l'Aurignacien, le Solutréen et le Magdalénien; alors les glaciers s'étant retirés, des hommes nouveaux ou tout au moins des idées nouvelles pénètrent dans nos pays, et s'étendent non seulement sur les terres alors habitées, mais aussi sur les contrées que viennent d'abandonner les neiges, c'est à ce moment qu'apparaissent les industries mésolithiques, celles des klœckenmœddings et du Campigny; la connaissance de la poterie les accompagne. Puis viennent la pierre polie, l'élevage et l'agriculture, le tissage; et c'est au cours de l'industrie néolithique que paraît le cuivre, précurseur du bronze, dont les archéologues les plus dignes de confiance placent la venue au cours du troisième millénaire avant notre ère. Le commencement du premier millenium aurait vu l'usage du fer se répandre dans nos régions; et l'Europe centrale tout entière aurait, à peu de chose près, suivi les mêmes phases de progrès, sous d'autres formes et en des temps peu différents.

Les pays du Nord, la Scandinavie et la Finlande, couverts de glace pendant toute la période quaternaire, demeuraient inhabitables, et les premières traces de l'homme qu'on y rencontre appartiennent aux industries mésolithiques; puis, comme dans nos pays, viennent, mais plus tardivement, la pierre polie, le cuivre et le bronze, enfin le fer.

Dans la Méditerranée, en Crète, en Chypre, les premiers habitants sont des énéolithiques; ils apportent la connaissance du cuivre au cours du quatrième millénaire avant notre ère, puis vient le bronze un millier d'années plus tard, enfin le fer vers la même époque que les Occidentaux, quelques siècles auparavant bien certainement; et il en est de même pour la Grèce continentale, l'Asie mineure, la

Thessalie. Les dates généralement proposées pour l'Orient méditerranéen ne semblent pas toutefois, être assez reculées, si nous admettons celles dont nous avons parlé à propos de l'Occident; car le monde oriental méditerranéen était en relations avec les civilisations les plus vieilles du globe et, par suite, n'a pu longtemps ignorer les procédés en usage dans la Chaldée et dans l'Égypte.

Il semble que, dans les débuts, la vallée du Nil égyptienne, dans sa partie haute pour le moins, aurait été occupée par des tribus africaines aux cheveux crépus, peut-être aussi par quelques groupes Libyens, venus des côtes africaines de la Méditerranée. Ces gens succédaient, peut-être après un très long intervalle, aux hommes paléolithiques: ils en étaient à l'industrie de la pierre polie, quand le cuivre fit son apparition, apporté par des peuples asiatiques aux cheveux lisses, qui, probablement déjà, occupaient le delta du fleuve.

L'industrie énéolithique fut, en Égypte, de longue durée; elle comprend ce que les Pharaoniques ont appelé la période des «serviteurs d'Horus» et le règne des princes de la première dynastie. Ce n'est que plus tard, probablement au cours de la deuxième dynastie, qu'apparaît le bronze d'étain. Quant au fer, nous ne pouvons encore juger de l'époque de son introduction comme substance: les renseignements peu nombreux que nous possédons à son égard ne sont pas concluants; cependant, il paraît avoir été connu dès les temps Thissites. Au point de vue de son usage industriel courant il date, semble-t-il, de la fin du second millénaire avant notre ère seulement.

Si donc, suivant la thèse allemande rajeunissant la chronologie entière de mille ans, on place vers 3300 l'époque du roi Menès, il n'en reste pas moins que l'antiquité des débuts de la civilisation pré-pharaonique dépasse six mille ans avant nous; et, pour la Chaldée et l'Élam, les dates seraient quelque peu plus anciennes encore, puisque c'est de l'Asie qu'est venu le progrès en Égypte.

Nous ne parlerons ni des Indes, ni de la Chine, dont les légendes locales exagèrent comme à plaisir l'antiquité. Leurs civilisations ne sont pas aussi anciennes qu'on le pense généralement. Celle de la Chine date de sept ou huit siècles avant notre ère; quant à sa préhistoire, elle nous est encore complètement inconnue. Il est à remarquer que jusqu'à ce jour aucun instrument chelléen n'a été signalé dans l'Extrême-Orient.

Aux Indes, les données fournies par l'Archéologie sont encore bien vagues; le coup de poing se rencontre dans le sud et le centre de la péninsule, puis vient un long hiatus; au nord on voit des dolmens, et la pierre polie se montre dans presque toutes les provinces; mais nous ne savons pas si le métal ne l'accompagnait pas. Dans tous les cas l'industrie du cuivre a été longtemps en honneur dans la péninsule. Quant à l'histoire de l'Inde elle ne commence que très tardivement, quelques siècles seulement avant notre ère, après la campagne d'Alexandre le Grand.

Au Nouveau Monde quelques régions ont connu la prospérité. Au Mexique et au Pérou, entre autres, on tournait les vases, on sculptait ou fondait les métaux et l'on inscrivait sur les monuments et sur des peaux les annales des royaumes; malheureusement le fanatisme religieux des moines espagnols a détruit tous les documents périssables qui eussent pu nous renseigner sur l'évolution de ces peuples, sur leur histoire même. Nous en sommes donc réduits, pour ces régions, à des conjectures et tout guide chronologique positif nous fait défaut.

Nous avons vu qu'on ne peut rien dire du peuplement des îles de l'Orient méditerranéen, avant les temps où les régions furent colonisées par des hommes en possession de l'industrie énéolithique. Les plus anciens documents archéologiques que nous possédons au sujet de ces colons nous amènent à penser que leur migration s'était faite en venant de l'Asie continentale non de l'Europe comme je l'avais pensé moi-même, et cela, au cours du quatrième millénaire avant notre ère. Puis seraient intervenus les Pélasges, apportant dans ce milieu des conceptions nouvelles étrangères à l'Asie. Tout en occupant l'Hellade européenne, ces tribus se seraient avancées jusque dans les îles et les territoires asiatiques au milieu d'autres populations très développées, et qui, en aucun cas, ne peuvent être confondues avec les tribus pélasgiques. Vient alors l'envahissement progressif d'un élément nouveau qu'on nomme égéen. Deux types physiques sont en présence vers le second millénaire avant notre ère: l'un dolychocéphale, le plus ancien, qui avait déjà fourni la civilisation minoenne; l'autre brachycéphale, le plus récent, qui aurait été l'auteur de la culture mycénienne, et serait apparenté aux tribus qui, dans ces temps, habitaient la Thrace et les rives du Danube. Ces colons ne seraient pas des Hellènes proprement dits, mais des Thraco, Phrygiens, proches parents des Grecs. C'est d'eux que seraient, entres autres, sortis les Arméniens qui, après avoir traversé le Bosphore, auraient marché d'ouest en est, contrairement à la direction qu'ont suivie toutes les invasions et qui, vers le VIe siècle avant le Christ, se seraient installés dans le plateau d'Erzeroum et les pays de l'Ararat.

Dans l'Europe centrale et occidentale, il en serait tout autrement. L'un des flots venus d'Asie, au travers des plaines russes, aurait apporté jusqu'aux plages de l'Atlantique l'usage de la pierre polie et celui du cuivre et du bronze: cette vague, on l'attribue aux tribus ligures qui, pendant de longs siècles, ont peuplé la Gaule. Puis seraient arrivés les Celtes, avec leur culture hallstattienne et l'industrie du fer, gens qui ont laissé des traces de leur passage dans la vallée du Danube, en Ukraine, dans le Caucase central (Osséthie), en Transcaucasie et dans les pays persans de l'Ouest voisins de la mer Caspienne, mais dont le berceau, encore inconnu, est probablement beaucoup plus lointain vers l'orient.

Ligures et Celtes apportaient avec eux non seulement des connaissances industrielles spéciales, nouvelles pour l'Occident européen, mais des goûts artistiques très différents; les premiers bornant leurs conceptions aux ornementations géométriques, les seconds introduisant dans leurs décors la représentation de l'homme et des animaux, mais traitant le dessin géométriquement par les mêmes procédés dont usaient avant eux les Ligures. Ces deux groupes, bien qu'ayant côtoyé les grands empires de l'Asie, ne semblent pas avoir été influencés par le contact de leur civilisation; leur goût demeure très personnel jusqu'au jour de leur établissement dans nos pays; c'est alors seulement qu'apparaissent chez eux les emprunts faits à la civilisation méditerranéene. Dans l'industrie, postérieure au Hallstattien, qu'on désigne sous le nom de «la Tène», se rencontrent alors, en foule, les traces d'influences mycénienne, grecque et étrusque; mais nous entrons alors dans la période historique des pays occidentaux de l'Europe.

Telle est, en quelques lignes, la succession des faits principaux relatifs à la préhistoire de l'homme dans le vieux monde. Elle est simple dans ses grandes lignes, parce que le progrès réel est parti de deux grands foyers, l'un, le plus récent, situé dans l'Asie du Nord, l'autre le plus ancien, dans l'Asie antérieure méridionale et l'Égypte; mais elle est extrêmement compliquée dans le détail, soit qu'on envisage les innombrables clans de l'humanité primitive, soit que l'on considère les diverses branches de l'avancement. La double origine de nos civilisations est un fait acquis que les traditions faisaient prévoir, et que les découvertes archéologiques confirment; mais reste le grand problème de ce qui s'est passé dans l'Asie centrale antérieurement à l'arrivée dans le monde européen des gens de parler aryen; divers problèmes, vraisemblablement, se confondent, et nous n'en tiendrons la solution qu'au jour où les pays encore barbares de la Sibérie et de l'Asie centrale, administrés par des peuples soucieux des sciences, auront livré les secrets de leur sol, seront étudiés avec la même méthode et la même persévérance que nos districts de l'Occident européen.

La tâche du préhistorien sera d'ailleurs bien loin d'être achevée; car même, en admettant que le jour se fasse sur les origines européennes et méditerranéenes, il restera encore à étudier les quatre cinquièmes des continents dont, à diverses époques, les habitants ont joué leur partie, plus ou moins importante, dans le concert du progrès général. Ce que nous savons aujourd'hui est bien peu de chose, en comparaison de ce qu'il nous reste à apprendre.

Milton Keynes UK
Ingram Content Group UK Ltd.
UKHW031838310823
427750UK00009B/257